中华人民共和国国家标准

构筑物抗震鉴定标准

Standard for seismic appraisal of special structures

GB 50117－2014

主编部门：中华人民共和国住房和城乡建设部
批准部门：中华人民共和国住房和城乡建设部
施行日期：2 0 1 5 年 2 月 1 日

中国建筑工业出版社

2014 北 京

中华人民共和国国家标准

构筑物抗震鉴定标准

Standard for seismic appraisal of special structures

GB 50117 - 2014

*

中国建筑工业出版社出版、发行（北京西郊百万庄）

各地新华书店、建筑书店经销

北京红光制版公司制版

廊坊市海涛印刷有限公司印刷

*

开本：850×1168 毫米 1/32 印张：7½ 字数：200 千字

2014 年 9 月第一版 2014 年 9 月第一次印刷

定价：**38.00** 元

统一书号：15112·23950

本社网址：http://www.cabp.com.cn

网上书店：http://www.china-building.com.cn

中华人民共和国住房和城乡建设部
公　　告

第423号

住房城乡建设部关于发布国家标准《构筑物抗震鉴定标准》的公告

现批准《构筑物抗震鉴定标准》为国家标准，编号为GB 50117-2014，自2015年2月1日起实施。其中，第3.0.2、3.0.5条为强制性条文，必须严格执行。原国家标准《工业构筑物抗震鉴定标准》GBJ 117-88同时废止。

本标准由我部标准定额研究所组织中国建筑工业出版社出版发行。

中华人民共和国住房和城乡建设部

2014年5月16日

前　言

本标准是根据住房和城乡建设部《关于印发〈2008年工程建设标准规范制订、修订计划（第二批）〉的通知》（建标[2008] 105号）的要求，由中冶建筑研究总院有限公司会同有关单位共同对原国家标准《工业构筑物抗震鉴定标准》GBJ 117-88进行修订而成的。

本标准在修订过程中，修订组通过调查总结抗震鉴定经验和国内外地震破坏实例，作了专题研究和计算分析，吸收近年来的工程实践经验，并在全国范围内征求了有关设计、勘察、科研、教学等单位和专家、学者的意见，经多次讨论、修改并作了经济分析，最后经审查定稿。

本标准共分22章和6个附录。主要内容包括：总则，术语和符号，基本规定，场地、地基和基础，地震作用和抗震验算，钢筋混凝土框排架结构，钢框排架结构，通廊，筒仓，容器和塔型设备基础结构，支架及构架，锅炉钢结构，井塔、井架，电视塔，冷却塔，炉窑结构基础，高炉系统结构，浓缩池、沉淀池、蓄水池，尾矿坝等。

本次修订的主要内容有：

1　与《建筑抗震鉴定标准》GB 50023-2009等国家现行标准相协调并作了相应修订。

2　增加了钢筋混凝土和钢框排架结构、电视塔，通信钢塔桅结构，索道支架、变电构架、尾矿坝等构筑物。

3　按后续使用年限分为不超过30年，30年以上50年以内和50年三个档次，按A、B、C类分别进行抗震鉴定。

4　完善和修订了各类构筑物的抗震验算和抗震构造措施。

本标准中以黑体字标志的条文为强制性条文，必须严格执行。

本标准由住房和城乡建设部负责管理和对强制性条文的解释，由中冶建筑研究总院有限公司负责具体技术内容的解释。本标准在执行过程中，请各单位结合工程实践、总结经验，并将意见和建议反馈到中冶建筑研究总院有限公司《构筑物抗震鉴定标准》管理组（地址：北京市海淀区西土城路33号，邮编：100088，Email：GB 50117@Sohu.com），以供今后修订时参考。

本标准主编单位：中冶建筑研究总院有限公司

本标准参编单位：中冶京诚工程技术有限公司
中国石化工程建设有限公司
中国京冶工程技术有限公司
中国移动通信集团设计院有限公司
中国电力工程顾问集团西北电力设计院
北京远达国际工程管理咨询有限公司
国家工业建构筑物质量安全监督检验中心
国家工业建筑诊断与改造工程技术研究中心
首钢总公司
厦门大学

本标准主要起草人员：李永录 侯忠良 耿树江 马天鹏
王建文 王新培 石建光 朱丽华
孙恒志 李晓东 张文革 辛鸿博
金立赞 姚友成 席向东 姜迎秋
段威阳 黄左坚

本标准主要审查人员：高小旺 马永欣 马 绅 朱小芸
朱金铨 李志明 宋 波 张 明
张家启 杜肇民 崔元瑞 端木祥

目　次

Contents

1 总 则

1.0.1 为贯彻执行《中华人民共和国建筑法》、《中华人民共和国防震减灾法》，实行以预防为主的方针，减轻地震破坏，减少损失，对现有构筑物的抗震能力进行鉴定，并为抗震加固或采取其他抗震减灾对策提供依据，制定本标准。

1.0.2 本标准适用于抗震设防烈度为 6 度～9 度地区的现有构筑物的抗震鉴定。本标准不适用于新建构筑物施工质量的评定。

1.0.3 符合本标准要求的现有构筑物，在预期的后续使用年限内应具有相应的抗震设防目标，后续使用年限为 50 年的现有构筑物，应具有与现行国家标准《构筑物抗震设计规范》GB 50191 相同的设防目标。

1.0.4 抗震设防烈度，应采用现行国家标准《中国地震动参数区划图》GB 18306 的地震基本烈度或现行国家标准《构筑物抗震设计规范》GB 50191 规定的抗震设防烈度。对行业有特殊要求的构筑物，应按专门的规定进行抗震鉴定。

1.0.5 构筑物的抗震鉴定，除应符合本标准外，尚应符合国家现行有关标准的规定。

2 术语和符号

2.1 术 语

2.1.1 现有构筑物 available special structures

已建成且已投入使用的构筑物。

2.1.2 抗震鉴定 seismic appraisal

通过检查现有构筑物的设计、施工质量和现状，按规定的抗震设防要求，对其在地震作用下的安全性进行评估。

2.1.3 后续使用年限 continuous seismic service life

对现有构筑物抗震鉴定时所约定的继续使用年限，在这个时期内构筑物不需要重新鉴定和相应加固就能按预期目的使用，完成预定的功能。

2.1.4 综合抗震能力 compound seismic capability

对构筑物结构单元综合考虑其构造和承载能力等因素所具有抵抗地震作用的能力。

2.1.5 抗震措施 seismic fortification measures

除地震作用计算和抗力计算以外的抗震设计内容，包括抗震设计的基本要求、抗震构造措施和地基基础的抗震措施等。

2.2 符 号

2.2.1 作用和作用效应

N——对应于重力荷载代表值的轴向压力；

V_e——结构层的弹性地震剪力；

S——结构构件地震基本组合的作用效应设计值；

p_0——基础底面实际平均压力。

2.2.2 材料性能和抗力

M_y——构件现有受弯承载力；

V_y——构件或结构层现有受剪承载力；

R——结构构件承载力设计值；

f——材料现有强度设计值；

f_k——材料现有强度标准值；

f_y——钢材的屈服强度。

2.2.3 几何参数

A_w——抗震墙截面面积；

A_s——实有钢筋截面面积；

H——结构总高度、柱高度；

D——结构或构件的直径；

L——构件间距、结构（单元）总长度；

b——构件截面宽度；

h——计算楼层（结构层）层高，构件截面高度；

l——构件长度或结构跨度；

t——抗震墙厚度、钢板厚度、构件厚度。

2.2.4 计算系数

γ_{RE}——承载力抗震调整系数；

β——综合抗震承载力指数；

ξ_y——楼层（结构层）屈服强度指数；

ψ_1——结构构造的体系影响系数；

ψ_2——结构构造的局部影响系数。

3 基本规定

3.0.1 现有构筑物的抗震鉴定，应包括下列内容：

1 搜集构筑物的地基勘察报告、气象资料、施工图纸和竣工验收等原始资料；当资料不全时，应进行必要的调查和实测。

2 检查构筑物现状与原始资料相符合程度、施工质量和维护状况，检测主要受力构件的缺陷。

3 检查构筑物所在场地、地基和基础的稳定性，调查临近的挡土结构状况。

4 根据各类构筑物的特点、结构类型与布置、构造和抗震承载力等因素，采用相应的逐级鉴定方法进行综合抗震能力分析。

5 对现有构筑物整体抗震性能作出评价，符合抗震鉴定要求时，应说明其后续使用年限，不符合抗震鉴定要求时，应提出相应的抗震防灾对策和处理意见。

3.0.2 现有构筑物的抗震设防类别应按现行国家标准《建筑工程抗震设防分类标准》GB 50223 分类，其抗震措施核查和抗震验算的综合鉴定应符合下列规定：

1 甲类，应经专门研究按不低于乙类的要求核查其抗震措施，抗震验算应按高于本地区设防烈度的要求采用。

2 乙类，6 度～8 度时应按高于本地区设防烈度一度的要求核查其抗震措施，9 度时应提高其抗震措施要求；抗震验算应按不低于本地区设防烈度的要求采用。

3 丙类，应按本地区设防烈度的要求核查其抗震措施和进行抗震验算。

4 丁类，7 度～9 度时，应允许按低于本地区设防烈度一度的要求核查其抗震措施，抗震验算应允许低于本地区设防烈度；6 度时应允许不做抗震鉴定。

3.0.3 经耐久性鉴定可继续使用的现有构筑物，抗震鉴定类别应根据其后续使用年限按下列规定确定：

1 后续使用年限不超过30年的构筑物划为A类。

2 后续使用年限为30年以上50年以内的构筑物划为B类。

3 后续使用年限为50年的构筑物划为C类。

3.0.4 不同后续使用年限的现有构筑物，其抗震鉴定方法应符合下列规定：

1 A类构筑物，应采用本标准A类构筑物的抗震鉴定方法。

2 B类构筑物，应采用本标准B类构筑物的抗震鉴定方法。

3 C类构筑物，应按现行国家标准《构筑物抗震设计规范》GB 50191的要求进行抗震鉴定。

4 本标准中未划分类别的构筑物，其抗震措施检查可按B类要求执行，但抗震验算时应按后续使用年限调整的地震影响系数进行验算。

3.0.5 属于下列情况之一的现有构筑物，应进行抗震鉴定：

1 达到和超过设计使用年限并需继续使用的构筑物。

2 未按抗震设防标准设计或建成后所在地区抗震设防要求提高的构筑物。

3 改建、扩建或改变原设计条件的构筑物。

3.0.6 现有构筑物的抗震鉴定，应根据下列情况区别对待：

1 不同结构类型的构筑物，其检查重点、项目内容和要求不同，应采用不同的抗震鉴定方法。

2 对重点部位和一般部位，应按不同的要求进行检查和鉴定。

3 对抗震性能有整体影响的构件、部位和仅有局部影响的构件、部位，在综合抗震能力分析时应区别对待。

3.0.7 部分构筑物的抗震鉴定可分为两级。第一级鉴定应以宏观控制和构造鉴定为主进行综合评价，第二级鉴定应以抗震验算为主并结合构造影响进行综合评价，并应符合下列规定：

1 A类构筑物的抗震鉴定，当符合第一级鉴定的各项要求时，可评为满足抗震鉴定要求，可不再进行第二级鉴定；当不符合第一级鉴定要求时，除有明确规定的情况外，应通过第二级鉴定作出判断。

2 B类构筑物的抗震鉴定，应通过其抗震措施检查和现有抗震承载力验算结果作出判断。当抗震措施不满足鉴定要求而现有抗震承载力较高时，可通过构造影响程度进行综合抗震能力评定；当抗震措施鉴定满足要求，其主要抗侧力构件的抗震承载力不低于规定的95%，且次要抗侧力构件的抗震承载力不低于规定的90%时，可不进行加固处理。

3.0.8 现有构筑物的宏观控制和构造鉴定，应符合下列规定：

1 结构材料的实际强度，当低于规定的最低要求时，应提出采取相应的抗震减灾对策。

2 构筑物的平立面、质量与刚度分布和抗侧力构件的布置存在明显不对称时，应进行地震扭转效应不利影响分析；结构竖向构件上下不连续或侧移刚度沿高度分布有突变时，应找出其薄弱部位并进行抗震能力鉴定。

3 检查结构体系时，应找出其破坏而导致结构体系丧失抗震能力或丧失竖向承载能力的构件或部件；当结构有错层或与不同类型结构相连时，应提高其相应部位的构件、部件的抗震鉴定要求。

4 当构筑物位于不利地段或地基下主要受力层存在液化、震陷或滑动时，应符合场地和地基基础的有关鉴定要求。

5 结构构件的尺寸、截面形式等不利于抗震时，应提高其构造的抗震鉴定要求。

6 结构构件的连接构造，应满足结构整体性的要求；装配式结构，应加强其整体性并设置较完整的支撑体系。

7 非结构构件或设备与主体结构的连接构造，应满足不倒塌伤人或产生严重次生灾害的要求；位于人员出入口或运输通道处，应有可靠的连接措施。

3.0.9 现有构筑物的抗震鉴定要求，可根据其所在场地、地基和基础等的有利和不利因素作下列调整：

1 Ⅰ类场地上的丙类构筑物，7度～9度时，构造要求可降低一度。

2 Ⅳ类场地、复杂地形、严重不均匀土层上的构筑物，以及同一构筑物单元内存在不同类型基础或基础埋深不同时，可提高抗震鉴定要求。

3 Ⅲ、Ⅳ类场地时，设计基本地震加速度为0.15g和0.30g的地区的各类构筑物的抗震构造措施要求，宜分别按抗震设防烈度8度（0.20g）和9度（0.40g）采用。

4 有全地下室、箱基、筏基和桩基的构筑物，可降低上部结构的抗震鉴定要求。

5 有毗邻单体的构筑物，包括防震缝两侧的构筑物，应提高相关部位的抗震鉴定要求。

3.0.10 对不符合鉴定要求的构筑物，可根据其不符合要求的程度、部位和对结构整体抗震性能影响的大小，以及有关的非抗震缺陷等实际情况，结合使用要求和加固难易等因素的分析，提出相应的维修、加固或更新等抗震减灾对策。

3.0.11 A类构筑物的砌体结构中易引起局部倒塌的部件和连接，应符合下列规定：

1 现有结构构件的局部尺寸、支撑长度和连接，应符合下列规定：

1）承重的门窗间墙最小宽度和外墙尽端至门窗洞边的距离，以及支承跨度大于5m的大梁的内墙阳角至门窗洞边的距离，7度～9度时分别不宜小于0.8m、1.0m、1.5m；

2）非承重外墙尽端至门窗洞边的距离，7度、8度时不宜小于0.8m，9度时不宜小于1.0m；

3）楼梯间等部位跨度不小于6m的大梁，在砖墙转角处的支撑长度不宜小于490mm；

4）出屋面的楼梯间、电梯间和水箱间等，8度、9度时墙体的砂浆强度等级不宜低于M2.5；门窗洞口不宜过大；预制楼板、屋盖与墙体应有拉结。

2 非结构构件的现有构造，应符合下列规定：

1）隔墙与两侧墙体或柱应有拉结，长度大于5.1m或高度大于3m时，墙顶应与梁板有连接；

2）无拉结女儿墙和门脸等装饰物，当砌体砂浆的强度等级不低于M2.5，且厚度为240mm时，其突出屋面的高度，对整体性不良或非刚性结构不应大于0.5m；对于刚性结构的封闭女儿墙不宜大于0.9m。

3.0.12 B类构筑物的砌体结构中易引起局部倒塌的部件和连接，应符合下列规定：

1 后砌的非承重砌体隔墙应沿墙高每隔500mm有2ϕ6钢筋与承重墙或柱拉结，且每边伸入墙内不应小于500mm；8度和9度时长度大于5.1m的后砌非承重砌体隔墙的墙顶，尚应与楼板或梁有拉结。

2 下列非结构构件的构造不符合要求时，位于出入口或人流通道处应加固或采取相应措施：

1）预制工作平台应与圈梁和楼板的现浇板带有可靠连接；

2）钢筋混凝土预制挑檐应有锚固；

3）附墙烟囱及出屋面的烟囱应有竖向配筋。

3 门窗洞处不应为无筋砖过梁；过梁支承长度，6度～8度时不应小于240mm，9度时不应小于360mm。

4 砌体墙段实际的局部尺寸，不宜小于表3.0.12的规定。

表3.0.12 砌体墙段实际的局部尺寸（m）

部位	烈度			
	6度	7度	8度	9度
承重窗间墙最小宽度	1.0	1.0	1.2	1.5
承重外墙尽端至门窗洞边的最小距离	1.0	1.0	1.5	2.0

续表 3.0.12

部 位	烈 度			
	6度	7度	8度	9度
非承重外墙尽端至门窗洞边的最小距离	1.0	1.0	1.0	1.0
内墙阳角至门窗洞边的最小距离	1.0	1.0	1.5	2.0
无锚固女儿墙（非出入口或人流通道处）最大高度	0.5	0.5	0.5	0.0

3.0.13 A类构筑物的砖砌体填充墙、隔墙与主体结构的连接，应符合下列规定：

1 计入填充墙抗侧力作用时，填充墙的厚度，6度～8度时不应小于180mm，9度时不应小于240mm；砂浆强度等级，6度～8度时不应低于M2.5，9度时不应低于M5；填充墙应镶嵌于框架平面内。

2 填充墙沿柱高度每隔600mm应有2ϕ6拉筋伸入墙内，8度、9度时伸入墙内长度不宜小于墙长的1/5，且不宜小于700mm；当墙高度大于5m时，墙内宜有连系梁与柱连接；长度大于6m的黏土砖墙或长度大于5m的空心砖墙，8度、9度时墙顶与梁应有连接。

3 内隔墙应与两端的墙或柱有可靠连接；当隔墙长度大于6m，8度、9度时墙顶尚应与梁板连接。

3.0.14 B类构筑物的砌体填充墙，应符合下列规定：

1 砌体填充墙在平面和竖向的布置，宜均匀对称。

2 砌体填充墙与框架柱柔性连接时，墙顶应与框架紧密结合。

3 砌体填充墙与框架为刚性连接时，应符合下列规定：

1）沿框架柱高每隔500mm有2ϕ6拉筋。拉筋伸入填充墙内长度，一、二级框架宜沿墙全长拉通；三、四级框架不应小于墙长的 1/5 且不小于 700mm。

2）墙长度大于 5m 时，墙顶部与梁宜有拉结措施；墙高度超过 4m 时，宜在墙高中部有与柱连接的通长钢筋混凝土水平系梁。

4　场地、地基和基础

4.1　场　　地

4.1.1　6度、7度时且建造于对抗震有利地段和一般地段的构筑物，可不进行场地影响的抗震鉴定。

4.1.2　建在危险地段的构筑物，场地对其影响应进行专门研究。

4.1.3　7度～9度时，场地为条状突出山嘴、高耸孤立山丘、非岩石或强风化岩石陡坡、河岸和边坡的边缘等不利地段，应对其地震稳定性、地基滑移及对构筑物的可能危害进行评估；非岩石或强风化岩石陡坡的坡度及构筑物场地与坡脚的高差均较大时，应估算局部地形导致其地震影响增大的后果。

4.1.4　构筑物场地有液化侧向扩展且距常时水线100m范围内时，应判明液化后土体流动和开裂的危险。

4.2　地基和基础

4.2.1　地基基础现状的抗震鉴定，应重点检查地基不均匀沉降引起上部结构开裂和倾斜及其发展趋势，以及基础有无腐蚀、酥碱、松散或剥落。

4.2.2　符合下列条件之一的现有构筑物，可不进行其地基基础的抗震鉴定：

1　丁类现有构筑物。

2　6度时的现有构筑物。

3　7度时，地基基础现状无严重静载缺陷的乙类、丙类现有构筑物。

4　在基础主要受力层范围内，不存在软弱土、饱和砂土和饱和粉土或严重不均匀土层的乙类、丙类现有构筑物。

4.2.3　上部结构无因不均匀沉降产生裂缝和倾斜或虽有轻微裂

缝和倾斜但已稳定，且基础无腐蚀、酥碱、松散或剥落时，地基基础可评为无严重静载缺陷。

4.2.4 存在软弱土、饱和砂土和饱和粉土的地基基础，应根据烈度、设防类别、结构现状和基础类型，进行液化、震陷和抗震承载力的两级鉴定。符合第一级鉴定的规定时，应评为地基符合抗震要求，可不进行第二级鉴定。静载下已出现严重缺陷的地基基础，应同时校核其静载下的承载力。

4.2.5 地基基础的第一级鉴定，应符合下列规定：

1 基础下主要受力层存在饱和砂土或饱和粉土时，存在下列情况的构筑物，可不进行液化影响的判别：

1) 对液化沉陷不敏感的丙类构筑物；

2) 符合现行国家标准《构筑物抗震设计规范》GB 50191 有关液化初步判别要求的构筑物。

2 基础下主要受力层存在软弱土时，下列情况可不进行地震作用下的沉陷估算：

1) 6 度、7 度时或 8 度、9 度时地基土静承载力特征值分别大于 80kPa 和 100kPa；

2) 8 度时，基础底面以下的软弱土层厚度不大于 5m。

3 采用桩基的构筑物，下列情况可不进行桩基的抗震验算：

1) 现行国家标准《构筑物抗震设计规范》GB 50191 规定可不进行桩基抗震验算的构筑物；

2) 位于斜坡但地震时土体稳定的构筑物。

4.2.6 地基基础的第二级鉴定，应符合下列规定：

1 饱和土液化的第二级判别，应按现行国家标准《构筑物抗震设计规范》GB 50191 的规定，采用标准贯入试验判别法。判别时，可计入地基附加应力对土体抗液化强度的影响。存在液化土时，应确定液化指数和液化等级，并应提出相应的抗液化措施。

2 软弱土地基及 8 度、9 度时，Ⅲ、Ⅳ类场地上的高耸构筑物，应进行地基和基础的抗震承载力验算。

4.2.7 现有构筑物天然地基的抗震承载力验算，应符合下列规定：

1 天然地基的竖向承载力，可按现行国家标准《构筑物抗震设计规范》GB 50191 的有关规定的方法验算，其中，地基土静承载力特征值应改用长期压密地基土静承载力特征值，长期压密地基土静承载力特征值可按下式计算：

$$f_{SC} = \zeta_c f_S \tag{4.2.7}$$

式中：f_{SC}——长期压密地基土静承载力特征值（kPa）；

f_S——地基土静承载力特征值（kPa），可按现行国家标准《建筑地基基础设计规范》GB 50007 的有关规定采用；

ζ_c——地基土静承载力长期压密提高系数，可按表 4.2.7 采用。

表 4.2.7 地基土静承载力长期压密提高系数

使用年限与岩土类别	p_0/f_s			
	1.0	0.8	0.4	<0.4
2 年以上的砾、粗、中、细、粉砂，5 年以上的粉土和粉质黏土，8 年以上地基土静承载力标准值大于 100kPa 的黏土	1.20	1.10	1.05	1.00

注：1 p_0 为基础底面实际平均压应力（kPa）；

2 使用年限不够或岩石、碎石土、其他软弱土，提高系数值均可取 1.0。

2 承受水平力为主的天然地基验算水平抗滑时，抗滑阻力可采用基础底面摩擦力和基础正侧面土的水平抗力之和；基础正侧面土的水平抗力，可取其被动土压力的 1/3；抗滑安全系数不宜小于 1.1；当刚性地坪的宽度不小于地坪孔口承压面宽度的 3 倍时，尚可利用刚性地坪的抗滑能力。

4.2.8 低承台桩基的抗震承载力验算，可按现行国家标准《构筑物抗震设计规范》GB 50191 的有关规定执行。

4.2.9 7度～9度时，挡土结构、地下室或半地下室外墙的稳定性验算，可按现行国家标准《构筑物抗震设计规范》GB 50191有关挡土结构的规定执行。

4.2.10 同一结构单元存在不同类型基础或基础埋深不同时，宜根据地震时可能产生的不利影响，估算地震导致两部分地基的差异沉降，检查基础抵抗差异沉降的能力，并应检查上部结构相应部位在构造上抵抗附加地震作用和差异沉降的能力。

5 地震作用和抗震验算

5.1 一般规定

5.1.1 6度和本标准各章节有具体规定时，可不进行抗震验算；当6度第一级鉴定不满足要求时，可通过抗震验算进行综合抗震能力评定。

5.1.2 现有构筑物的抗震验算，应至少在两个主轴方向进行验算。

5.2 地震作用和效应调整

5.2.1 现有构筑物的地震作用计算，当无具体方法时，可采用现行国家标准《构筑物抗震设计规范》GB 50191等规定的方法计算。

5.2.2 现有构筑物的地震作用计算时的地震影响系数，可根据其后续使用年限对现行国家标准《构筑物抗震设计规范》GB 50191规定的地震影响系数进行调整。地震影响系数的调整系数，可按表5.2.2采用。

表5.2.2 地震影响系数的调整系数

后续使用年限（年）	10～30	40	50
调整系数	0.75	0.85	1.00

注：1 按时程分析法计算时，其地震加速度时程曲线的最大值亦可按本表规定进行调整；

2 后续使用年限非表中数值时，调整系数可按插值法计算，小于10年可按10年采用；

3 甲类、乙类构筑物和尾矿坝进行地震作用计算时，调整系数宜取1.0。

5.2.3 地下结构按多遇地震计算时的水平地震系数可按表

5.2.3-1 采用；按设防地震计算时的水平地震系数可按表 5.2.3-2 采用；竖向地震系数，可按相应水平地震系数值的 2/3 采用；多遇地震和设防地震的水平、竖向地震系数，亦可根据不同的后续使用年限按本标准表 5.2.2 的规定乘以调整系数。

表 5.2.3-1　按多遇地震计算时的水平地震系数

烈　　度	7 度		8 度		9 度
基本地震加速度值	0.1g	0.15g	0.2g	0.3g	0.4g
水平地震系数	0.035	0.055	0.070	0.105	0.140

表 5.2.3-2　按设防地震计算时的水平地震系数

烈　　度	7 度		8 度		9 度
基本地震加速度值	0.1g	0.15g	0.2g	0.3g	0.4g
水平地震系数	0.10	0.15	0.20	0.30	0.40

5.2.4　8 度、9 度时的大跨度、长悬臂和高耸结构，应按现行国家标准《构筑物抗震设计规范》GB 50191 的规定进行竖向地震作用计算。竖向地震影响系数最大值和竖向地震作用系数，可根据不同的后续使用年限按本标准表 5.2.2 规定乘以调整系数。

5.3　抗 震 验 算

5.3.1　地震作用标准值效应和其他荷载效应的基本组合，应按现行国家标准《构筑物抗震设计规范》GB 50191 的有关规定执行。

5.3.2　结构构件的抗震承载力验算，应满足下式要求：

$$S \leqslant R/\gamma_{RE} \tag{5.3.2}$$

式中：S——结构构件内力（轴向力、剪力、弯矩等）组合的设计值；计算时，有关的荷载、特征周期、地震作用、作用分项系数、组合值系数，应按现行国家标准《构筑物抗震设计规范》GB 50191 的规定采用；

R——结构构件承载力设计值；计算时，可按现行国家标准《构筑物抗震设计规范》GB 50191 的规定执行，各类结构材料强度的设计指标应按本标准附录 A 采用，材料强度等级应按现场实际情况确定。A 类框架结构计入体系和局部构造影响计算综合抗震承载力时，其调整后的结构构件抗震承载力设计值可按本标准公式（6.1.5）计算；

γ_{RE}——承载力抗震调整系数，应按现行国家标准《构筑物抗震设计规范》GB 50191 的规定取值。

5.3.3 需进行罕遇地震作用下的弹塑性抗震变形验算时，应符合现行国家标准《构筑物抗震设计规范》GB 50191 的有关规定，并应按本标准第 5.2.2 条的规定对地震影响系数或地震加速度进行调整。

5.3.4 现有砌体结构抗震承载力验算，应符合本标准附录 B 的规定。

6 钢筋混凝土框排架结构

6.1 一 般 规 定

6.1.1 本章适用于框架与排架侧向连接的A、B类现浇或装配整体式钢筋混凝土框排架结构的抗震鉴定，其适用的最大高度应符合下列规定：

1 A类钢筋混凝土框排架结构抗震鉴定时，框架的高度不宜超过55m。

2 B类钢筋混凝土框排架结构抗震鉴定时，框架适用的最大高度应符合表6.1.1的要求；对结构布置不规则、有框支层的抗震墙结构或Ⅳ类场地上的框排架结构，适用的最大高度应适当降低。

表6.1.1 B类钢筋混凝土框排架结构适用的最大高度（m）

结构类型	烈度				
	6度	7度	8度(0.2g)	8度(0.3g)	9度
框架	55(50)	45(40)	35(30)	30(25)	19(14)
框架-抗震墙	120(110)	110(100)	90(80)	70(60)	45(40)

注：1 括号内的数值为设有筒仓的框架和框架-抗震墙的最大高度；

2 高度系指室外地面到主要屋面板板顶的高度(不包括局部突出屋面部分)；

3 超过表内的高度时，应进行专门研究和论证，并采取有效的加强措施。

6.1.2 现有钢筋混凝土框排架结构，应依据其设防烈度重点检查下列薄弱部位：

1 6度时，应检查局部易掉落伤人的构件、部件，以及楼梯间非结构构件的连接构造。

2 7度时，除应按本条第1款检查外，框架结构尚应检查梁柱节点的连接形式、跨数及不同结构体系之间的连接构造；排架结构应检查屋盖中支承长度较小构件连接的可靠性、出入口处女儿墙、高低跨封墙等构件的拉结构造。

3 8度、9度时，除应按本条第1、2款的规定检查外，尚应检查框架梁、柱的配筋，材料强度，各构件间的连接，结构体型的规则性，短柱分布，使用荷载的大小和分布等；排架结构应检查各支承系统的完整性、大型屋面板连接的可靠性、高低跨牛腿(柱肩)和各种柱变形受约束部位的构造，并应注意圈梁、抗风柱的拉结构造及平面不规则、墙体布置不匀称和相连建(构)筑物结构导致质量不均匀和刚度不协调的影响。

6.1.3 钢筋混凝土框排架结构构件的外观和内在质量，应符合下列规定：

1 梁、柱及其节点的混凝土可仅有少量微小开裂或局部剥落，钢筋不应有外露、锈蚀。

2 填充墙不应有明显开裂或与框架(排架)柱脱开。

3 主体结构构件(含屋盖支撑)不应有明显变形、倾斜或歪扭。

4 不应有严重不均匀沉降。

6.1.4 现有钢筋混凝土框排架结构的抗震鉴定，应按结构体系的合理性、结构构件材料的实际强度、结构构件的纵向钢筋和横向箍筋的配置和构件连接的可靠性、支撑的完整性、填充墙等与主体结构的拉结构造，以及构件抗震承载力的综合分析，对结构的抗震能力进行鉴定。

当框架梁柱节点构造和排架各项构造、连接不符合规定时，应评为不满足抗震鉴定要求；当仅有出入口、人流通道处的填充墙或其他附属构件不符合规定时，可评为局部不满足抗震鉴定要求。

6.1.5 A类钢筋混凝土框排架结构中的框架应进行两级鉴定。当符合第一级鉴定的各项规定时，除9度外可不进行抗震验算而评为满足抗震鉴定要求；不符合第一级鉴定要求和9度时，除有明确规定的情况外，在第二级鉴定中其抗震承载力应按本标准第

5 章的规定进行验算。

B 类钢筋混凝土框排架结构中的框架应根据所属的抗震等级进行结构布置和构造检查，并应通过内力调整进行抗震承载力验算或按 A 类框架计入构造影响对综合承载力进行评定。若按调整后的内力验算时，可按下式计算结构构件抗震承载力设计值：

$$R_a = \Psi_1 \Psi_2 R \tag{6.1.5}$$

式中：R_a——调整后的结构构件抗震承载力设计值；

Ψ_1——体系影响系数；可按本标准第 6.2.17 条确定；

Ψ_2——局部影响系数；可按本标准第 6.2.18 条确定；

R——结构构件承载力设计值。

6.1.6 当砌体结构与框排架结构相连或依托于框排架结构时，应加大砌体结构所承担的地震作用，并按本标准第 3 章的规定进行抗震鉴定；对框排架结构的鉴定，应计入两种不同性质的结构相连导致的不利影响。

6.1.7 砖女儿墙、门脸等非结构构件和突出屋面的小房间，应符合本标准第 3 章的有关规定。

6.2 A 类钢筋混凝土框排架结构抗震鉴定

(Ⅰ)第一级鉴定

6.2.1 现有 A 类钢筋混凝土框架结构体系，应符合下列规定：

1 装配式框架宜为整浇节点，8 度、9 度时不应为铰接节点。

2 乙类设防在 8 度、9 度时，不宜为单跨框架结构，且按梁柱的实际配筋、柱轴向力计算的框架柱的弯矩增大系数，宜取大于 1.1。

3 8 度、9 度时，现有结构体系宜按下列规定进行检查：

1） 平面局部突出部分的长度不宜大于宽度，且不宜大于该方向总长度的 30％；

2） 立面局部缩进的尺寸不宜大于该方向水平总尺寸

的 25%；

3）楼层侧移刚度不宜小于其相邻上层侧移刚度的 70%，且连续三层的总侧移刚度降低不宜大于 50%；

4）无砌体结构相连，且平面内的抗侧力构件及质量分布宜基本均匀、对称。

4 抗震墙之间无大洞口的楼盖、屋盖的长宽比不宜超过表 6.2.1-1 的规定，超过时应计入楼盖平面内变形的影响。

5 6 度～8 度时厚度不小于 240mm、砌筑砂浆强度等级不低于 M2.5，以及 9 度时砂浆强度等级不低于 M5.0 的抗侧力黏土砖填充墙，其平均间距不应大于表 6.2.1-2 的限值。

表 6.2.1-1 抗震墙之间无大洞口的楼盖、屋盖长宽比

楼盖、屋盖类别	烈度	
	8 度	9 度
现浇、装配整体式	3.0	2.0
装配式	2.5	1.0

表 6.2.1-2 抗侧力黏土砖填充墙平均间距的限值

总层数	三	四	五	六
间距(m)	17	14	12	11

6.2.2 梁、柱、墙实际达到的混凝土强度等级，6 度、7 度时不应低于 C13，8 度、9 度时不应低于 C18。

6.2.3 6 度和 7 度Ⅰ、Ⅱ类场地时，框架结构应按下列规定检查：

1 框架梁柱的纵向钢筋和横向箍筋的配置应符合非抗震设计的要求，其中，梁纵向钢筋在柱内的锚固长度，HPB235 级钢筋不宜小于纵向钢筋直径的 25 倍，HRB335 级钢筋不宜小于纵向钢筋直径的 30 倍；混凝土强度等级为 C13 时，锚固长度应相应增加纵向钢筋直径的 5 倍。

2 6 度乙类设防时，框架的中柱和边柱纵向钢筋的总配筋率不应少于0.5%，角柱不应少于0.7%，箍筋最大间距不宜大于纵向钢筋直径的8倍且不宜大于150mm，最小直径不宜小于6mm。

6.2.4 7度Ⅲ、Ⅳ类场地和8度、9度时，框架梁柱的配筋尚应按下列规定检查：

1 梁两端在梁高各一倍范围内的箍筋间距，8度时不应大于200mm，9度时不应大于150mm。

2 在柱的上、下端，柱净高各1/6的范围内，丙类设防时，7度Ⅲ、Ⅳ类场地和8度时，箍筋直径不应小于$\phi 6$，间距不应大于200mm；9度时，箍筋直径不应小于$\phi 8$，间距不应大于150mm；乙类设防时，框架柱箍筋的最大间距和最小直径，宜按表6.2.4的要求检查。

表6.2.4 乙类设防时框架柱箍筋的最大间距和最小直径

烈度和场地	7度(0.10g)，7度(0.15g)Ⅰ、Ⅱ类场地	7度(0.15g)Ⅲ、Ⅳ类场地，8度(0.20g)，8度(0.30g)Ⅰ、Ⅱ类场地	8度(0.30g)Ⅲ、Ⅳ类场地和9度
箍筋最大间距（取较小值）	8d，150mm	8d，100mm	6d，100mm
箍筋最小直径	8mm	8mm	10mm

3 净高与截面高度之比不大于4的短柱，包括因嵌砌黏土砖填充墙形成的短柱，沿柱全高范围内的箍筋直径不应小于$\phi 8$；箍筋间距，8度时不应大于150mm，9度时不应大于100mm。

4 框架角柱纵向钢筋的总配筋率，8度时不宜小于0.8%，9度时不宜小于1.0%；其他各柱纵向钢筋的总配筋率，8度时不宜小于0.6%，9度时不宜小于0.8%。

5 框架柱截面宽度不宜小于300mm，8度Ⅲ、Ⅳ类场地和9度时不宜小于400mm；9度时，框架柱的轴压比不应大于0.8，筒仓支承柱的轴压比不应大于0.7。

6.2.5 8度、9度时，框架-抗震墙的墙板配筋与构造应按下列规定检查：

1 抗震墙的周边宜与框架梁柱形成整体或有加强的边框。

2 墙板的厚度不宜小于140mm，且不宜小于墙板净高的1/30，墙板中竖向及横向钢筋的配筋率均不应小于0.15%。

3 墙板与楼板的连接，应能可靠地传递地震作用。

6.2.6 砖砌体填充墙、隔墙与主体结构的连接，应符合本标准第3.0.13条的规定。

6.2.7 排架结构的屋盖的支撑布置和构造，应符合下列规定：

1 屋盖支撑布置应符合表6.2.7-1～表6.2.7-3的要求，不符合要求时应增设。

2 屋架支撑布置尚应符合下列规定：

1) 排架单元端开间有天窗时，天窗开洞范围内相应部位的屋架支撑布置要求应适当提高；

2) 8度～9度时，柱距不小于12m的托架（梁）区段及相邻柱距段的一侧（不等高排架为两侧）应有下弦纵向水平支撑；

3) 拼接屋架（屋面梁）的支撑布置要求，应按本条第1款的规定适当提高；

4) 跨度不大于15m的无腹杆钢筋混凝土组合屋架，排架单元两端应各有一道上弦横向支撑，8度时每隔36m、9度时每隔24m尚应有一道；屋面板之间用混凝土连成整体时，可无上弦横向支撑。

3 屋盖支撑的构造，应符合下列规定：

1) 7度～9度时，上、下弦横向支撑和竖向支撑的杆件应为型钢；

2) 8度、9度时，横向支撑的直杆应符合压杆要求，交叉杆在交叉处不宜中断，不符合时应加固；

3) 8度Ⅲ、Ⅳ类场地且跨度大于24m和9度时，屋架上弦横向支撑宜有较强的杆件和较牢固的端节点构造。

表 6.2.7-1　A 类排架结构的无檩屋盖支撑布置

<table>
<tr><th colspan="3" rowspan="2">支撑名称</th><th colspan="3">烈　　度</th></tr>
<tr><th>6 度、7 度</th><th>8 度</th><th>9 度</th></tr>
<tr><td rowspan="5">屋架支撑</td><td colspan="2">上弦横向支撑</td><td>同非抗震设计</td><td colspan="2">排架单元端开间及柱间支撑开间各有一道；天窗跨度大于 6m 时，天窗开洞范围的两端有局部的支撑一道</td></tr>
<tr><td colspan="2">下弦横向支撑</td><td colspan="2">同非抗震设计</td><td>排架单元端开间各有一道</td></tr>
<tr><td colspan="2">跨中竖向支撑</td><td colspan="2">同非抗震设计</td><td>同上弦横向支撑</td></tr>
<tr><td rowspan="2">两端竖向支撑</td><td>屋架端部高度≤900mm</td><td colspan="2">同非抗震设计</td><td>排架单元端开间及每隔 48m 各有一道</td></tr>
<tr><td>屋架端部高度>900mm</td><td>同非抗震设计</td><td>同上弦横向支撑</td><td>同上弦横向支撑，且间距不大于 30m</td></tr>
<tr><td colspan="3">天窗两侧竖向支撑</td><td>排架单元天窗端开间及每隔 42m 各有一道</td><td>排架单元天窗端开间及每隔 30m 各有一道</td><td>排架单元天窗端开间及每隔 18m 各有一道</td></tr>
</table>

表 6.2.7-2　A 类排架结构的中间井式天窗无檩屋盖支撑布置

<table>
<tr><th rowspan="2">支撑名称</th><th colspan="3">烈　　度</th></tr>
<tr><th>6 度、7 度</th><th>8 度</th><th>9 度</th></tr>
<tr><td>上、下弦横向支撑</td><td>排架单元端开间各有一道</td><td colspan="2">排架单元端开间及柱间支撑开间各有一道</td></tr>
<tr><td>上弦通长水平系杆</td><td colspan="3">在天窗范围内屋架跨中上弦节点处有</td></tr>
<tr><td>下弦通长水平系杆</td><td colspan="3">在天窗两侧及天窗范围内屋架下弦节点处有</td></tr>
<tr><td>跨中竖向支撑</td><td colspan="3">在上弦横向支撑开间处有，位置与下弦通长系杆相对应</td></tr>
</table>

续表 6.2.7-2

<table>
<tr><td colspan="2" rowspan="2">支撑名称</td><td colspan="3">烈　　度</td></tr>
<tr><td>6 度、7 度</td><td>8 度</td><td>9 度</td></tr>
<tr><td rowspan="2">两端竖向支撑</td><td>屋架端部高度≤900mm</td><td colspan="2">同非抗震设计</td><td>同上弦横向支撑，且间距不大于 48m</td></tr>
<tr><td>屋架端部高度>900mm</td><td>排架单元端开间各有一道</td><td>同上弦横向支撑，且间距不大于 48m</td><td>同上弦横向支撑，且间距不大于 30m</td></tr>
</table>

表 6.2.7-3　A 类排架结构的有檩屋盖支撑布置

<table>
<tr><td colspan="2" rowspan="2">支撑名称</td><td colspan="3">烈　　度</td></tr>
<tr><td>6 度、7 度</td><td>8 度</td><td>9 度</td></tr>
<tr><td rowspan="3">屋架支撑</td><td>上弦横向支撑</td><td colspan="2">排架单元端开间各有一道</td><td rowspan="3">排架单元端开间及排架单元长度大于 42m 时在柱间支撑开间各有一道</td></tr>
<tr><td>下弦横向支撑</td><td colspan="2" rowspan="2">同非抗震设计</td></tr>
<tr><td>竖向支撑</td></tr>
<tr><td rowspan="2">天窗架支撑</td><td>上弦横向支撑</td><td colspan="2">排架单元的天窗端开间各有一道</td><td>排架单元的天窗端开间及柱间支撑开间各有一道</td></tr>
<tr><td>两侧竖向支撑</td><td>排架单元的天窗端开间及每隔 42m 各有一道</td><td>排架单元的天窗端开间及每隔 30m 各有一道</td><td>排架单元的天窗端开间及每隔 18m 各有一道</td></tr>
</table>

6.2.8　现有排架柱的构造应符合下列规定：

1　7 度Ⅲ、Ⅳ类场地和 8 度、9 度时，有柱间支撑的排架柱，柱顶以下 500mm 范围内，以及柱变位受约束的部位上下各 300mm 的范围内，箍筋直径不宜小于 $\phi 8$，间距不宜大于 100mm，当不符合时应加固。

2　8 度Ⅲ、Ⅳ类场地和 9 度时，阶形柱牛腿面至吊车梁顶面以上 300mm 范围内，箍筋直径小于 $\phi 8$ 或间距大于 100mm 时宜加固。

3 支承低跨屋架的中柱牛腿（柱肩）中，承受水平力的纵向钢筋应与预埋件焊牢。

6.2.9 现有的柱间支撑应为型钢，其布置应符合下列规定，当不符合时应增加支撑或采取其他相应措施：

1 7 度Ⅲ、Ⅳ类场地和 8 度、9 度时，排架单元中部应有一道上下柱柱间支撑，8 度、9 度时单元两端宜各有一道上柱支撑；单跨排架两侧均有与柱等高且与柱可靠拉结的嵌砌纵墙，当墙厚不小于 240mm，开洞所占水平截面不超过总截面面积的 50%，砂浆强度等级不低于 M2.5 时，可无柱间支撑。

2 8 度时跨度不小于 18m 的多跨排架中各柱和 9 度时多跨排架各柱，柱顶应有通长水平压杆，此压杆可与梯形屋架支座处通长水平系杆合并设置，钢筋混凝土系杆端头与屋架间的空隙应采用混凝土填实。

3 7 度Ⅲ、Ⅳ类场地和 8 度Ⅰ、Ⅱ类场地，下柱柱间支撑的下节点在地坪以上时应靠近地面处；8 度时Ⅲ、Ⅳ类场地和 9 度时，下柱柱间支撑的下节点位置和构造应能将地震作用直接传给基础。

6.2.10 排架结构构件现有的连接构造应符合下列规定，不符合时应采取相应的加强措施：

1 7 度～9 度时，檩条在屋架（屋面梁）上的支承长度不宜小于 50mm，且与屋架（屋面梁）应焊牢，槽瓦等与檩条的连接体不应漏缺或锈蚀。

2 7 度～9 度时，大型屋面板在天窗架、屋架（屋面梁）上的支承长度不宜小于 50mm，8 度、9 度时尚应焊牢。

3 天窗架与屋架，屋架、托架与柱子，屋盖支撑与屋架，柱间支撑与排架之间应有可靠连接；6 度、7 度时Ⅱ形天窗架竖向支撑与 T 形截面立柱连接节点的预埋件及 8 度、9 度时柱间支撑与柱连接节点的预埋件应有可靠锚固。

4 8 度、9 度时，吊车走道板的支承长度不应小于 50mm。

5　山墙抗风柱与屋架（屋面梁）上弦应有可靠连接。当抗风柱与屋架下弦相连接时，连接点应设在下弦横向支撑节点处。

6　天窗端壁板、天窗侧板与大型屋面板之间的缝隙不应为砖块封堵。

6.2.11　黏土砖围护墙现有的连续构造应符合下列规定：

1　纵墙、山墙、高低跨封墙和纵墙横跨交接处的悬墙，沿柱高每隔 10 皮砖应有 $2\phi6$ 钢筋与柱（包括抗风柱）、屋架（包括屋面梁）端部、屋面板和天沟板可靠拉结。高低跨排架的高跨封墙不应直接砌在低跨屋面上。

2　砖围护墙的圈梁应符合下列规定：

1）7 度～9 度时，梯形屋架端部上弦和柱顶标高处应有现浇钢筋混凝土圈梁各一道，但屋架端部高度不大于 900mm 时可合并设置；

2）8 度、9 度时，沿墙高每隔 4m～6m 宜有圈梁一道；沿山墙顶应有卧梁并宜与屋架端部上弦高度处的圈梁连接；

3）圈梁与屋架或柱应有可靠连接；山墙卧梁与屋面板应有拉结；顶部圈梁与柱锚拉的钢筋不宜少于 $4\phi12$，变形缝处圈梁和柱顶、屋架锚拉的钢筋均应有所加强。

3　预制墙梁与柱应有可靠连接，梁底与其下的墙宜有拉结。

4　位于出入口、高低跨交接处和披屋上部的女儿墙不符合本标准第 3.0.11 条要求时，应采取相应措施。

6.2.12　砌体内隔墙的构造应符合下列规定：

1　独立隔墙的砌筑砂浆，实际达到的强度等级不宜低于 M2.5；厚度为 240mm 时，高度不宜超过 3m。

2　一般情况下，到顶的内隔墙与屋架（屋面梁）下弦之间不应有拉结，但墙体应有稳定措施；当到顶的内隔墙必须和屋架下弦相接时，屋架下弦应有水平支撑。

3　8 度、9 度时，排架平面内的隔墙和局部柱列间的隔墙应与柱柔性连接或脱开，并应有稳定措施。

6.2.13 钢筋混凝土框排架结构符合本标准第 6.2.1～6.2.12 条的规定时，可评为综合抗震能力满足要求；当遇下列情况之一时，可不再进行第二级鉴定，但应评为综合抗震能力不满足抗震要求，且应对框排架结构采取加固或其他相应措施：

1 梁柱节点构造不符合要求的框架及 8 度、9 度时乙类设防的单跨框架结构。

2 8 度、9 度时混凝土强度等级低于 C13。

3 与框架结构相连的承重砌体结构不符合要求。

4 仅有女儿墙、门脸、楼梯间填充墙等非结构构件不符合本标准第 3.0.11 条第 2 款的有关要求。

5 本标准第 6.2.1～6.2.12 条的规定有多项不符合要求。

（Ⅱ）第二级鉴定

6.2.14 平面较规则，且竖向布置连续的 A 类钢筋混凝土框排架结构，可采用平面结构的楼层综合抗震能力指数进行第二级鉴定，也可按现行国家标准《构筑物抗震设计规范》GB 50191 附录 C 的简化方法和本标准第 5 章的规定进行抗震承载力验算，计算时构件组合内力设计值可不作调整。当平面布置不规则或竖向不连续时，宜按现行国家标准《构筑物抗震设计规范》GB 50191的有关规定进行抗震计算分析，并宜按本标准第 5 章的规定进行构件抗震承载力验算，计算时构件组合内力设计值可不作调整；尚可按本标准第 6.2.21 条的规定估算构造的影响，由综合评定进行第二级鉴定。

6.2.15 现有钢筋混凝土框排架结构采用楼层综合抗震能力指数进行第二级鉴定时，应分别选择下列平面结构进行分析：

1 应至少在两个主轴方向分别选取有代表性的平面结构。

2 框架结构与承重砌体结构相连时，除应符合本条第 1 款的规定外，尚应选取连接处的平面结构。

3 有明显扭转效应时，除应符合本条第 1 款的规定外，尚应选取计入扭转影响的边榀结构。

6.2.16 楼层综合抗震能力指数可按下列公式计算：

$$\beta = \psi_1 \psi_2 \xi_y \quad (6.2.16\text{-}1)$$

$$\xi_y = V_y / V_e \quad (6.2.16\text{-}2)$$

式中：β——平面结构楼层综合抗震能力指数；

ξ_y——楼层屈服强度系数；

V_y——楼层现有受剪承载力，可按本标准附录C计算；

V_e——楼层的弹性地震剪力，可按本标准第6.2.19条计算。

6.2.17 A类钢筋混凝土框架结构的体系影响系数，可根据结构体系、梁柱箍筋、轴压比等符合第一级鉴定要求的程度和部位，按下列情况确定：

1 当结构体系、梁柱箍筋、轴压比等各项构造均符合现行国家标准《构筑物抗震设计规范》GB 50191的规定时，可取1.4。

2 当各项构造均符合本标准第6.3节B类框排架结构的规定时，可取1.25。

3 当各项构造均符合本节第一级鉴定的规定时，可取1.0。

4 当各项构造均符合非抗震设计规定时，可取0.8。

5 当结构受损伤或发生倾斜但已修复纠正，本条第1～4款体系影响系数数值尚宜乘以0.8～1.0。

6.2.18 局部影响系数可根据局部构造不符合第一级鉴定要求的程度，采用下列三项系数选定后的最小值：

1 与承重砌体结构相连的框架，可取0.80～0.95。

2 填充墙等与框架的连接不符合第一级鉴定要求，可取0.70～0.95。

3 抗震墙之间楼盖、屋盖长宽比超过表6.2.1-1的规定值，可按超过的程度取0.6～0.9。

6.2.19 楼层的弹性地震剪力，对规则结构可采用底部剪力法计算，地震作用可按本标准第5.2节的规定计算，地震作用分项系数可取1.0；对计及扭转影响的边榀结构，可按现行国家标准《构筑物抗震设计规范》GB 50191 规定的方法计算。当场地处于本标准第 4.1.3 条规定的不利地段时，地震作用尚应乘以增大系数 1.1～1.6。截面抗震验算时，构件组合内力设计值可不作调整。

6.2.20 符合下列规定之一的多层钢筋混凝土框架结构，可评定为满足抗震鉴定要求；当不符合时应采取加固或其他相应措施：

1 楼层综合抗震能力指数不小于 1.0 的结构。

2 按本标准第 5 章规定进行抗震承载力验算并计入构造影响满足要求的结构。

6.2.21 下列情况的排架结构构件，应进行抗震验算：

1 8 度时，高低跨柱列、支承低跨屋盖的牛腿（柱肩）、高大山墙的抗风柱。

2 9 度时，除应符合本条第 1 款规定外，尚应验算排架柱。

6.3 B 类钢筋混凝土框排架结构抗震鉴定

（Ⅰ）抗震措施鉴定

6.3.1 现有 B 类钢筋混凝土框排架结构的抗震鉴定，应按表 6.3.1 确定鉴定时所采用的抗震等级，并应按其所属抗震等级的要求核查抗震构造措施。

表 6.3.1 B 类钢筋混凝土框架和框架-抗震墙的抗震等级

<table>
<tr><td colspan="3" rowspan="2">结构类型</td><td colspan="7">烈　度</td></tr>
<tr><td colspan="2">6 度</td><td colspan="2">7 度</td><td colspan="2">8 度</td><td>9 度</td></tr>
<tr><td rowspan="4">框架</td><td rowspan="2">不设贮仓的框架</td><td>高度（m）</td><td>≤25</td><td>>25</td><td>≤25</td><td>>25</td><td>≤25</td><td>>25</td><td>≤25</td></tr>
<tr><td>框架</td><td>四</td><td>三</td><td>三</td><td>二</td><td>二</td><td>一</td><td>一</td></tr>
<tr><td rowspan="2">设贮仓的框架</td><td>高度（m）</td><td>≤20</td><td>>20</td><td>≤20</td><td>>20</td><td>≤20</td><td>>20</td><td>≤20</td></tr>
<tr><td>框架</td><td>四</td><td>三</td><td>三</td><td>二</td><td>二</td><td>一</td><td>一</td></tr>
<tr><td></td><td colspan="2">大跨度框架</td><td colspan="2">三</td><td colspan="2">二</td><td colspan="2">一</td><td>一</td></tr>
</table>

续表 6.3.1

<table>
<tr><td colspan="3" rowspan="2">结构类型</td><td colspan="10">烈　　度</td></tr>
<tr><td colspan="2">6 度</td><td colspan="3">7 度</td><td colspan="3">8 度</td><td colspan="2">9 度</td></tr>
<tr><td rowspan="5">框架-抗震墙</td><td rowspan="2">不设贮仓的框架</td><td>高度（m）</td><td>≤55</td><td>>55</td><td><25</td><td>25～55</td><td>>55</td><td><25</td><td>25～55</td><td>>55</td><td><25</td><td>25～45</td></tr>
<tr><td>框架</td><td>四</td><td>三</td><td>四</td><td>三</td><td>二</td><td>三</td><td>二</td><td>一</td><td>二</td><td>一</td></tr>
<tr><td rowspan="2">设贮仓的框架</td><td>高度（m）</td><td>≤50</td><td>>50</td><td><20</td><td>20～50</td><td>>50</td><td><20</td><td>20～50</td><td>>50</td><td><20</td><td>20～40</td></tr>
<tr><td>框架</td><td>四</td><td>三</td><td>四</td><td>三</td><td>二</td><td>三</td><td>二</td><td>一</td><td>二</td><td>一</td></tr>
<tr><td colspan="2">抗震墙</td><td colspan="2">三</td><td>三</td><td colspan="2">二</td><td>二</td><td colspan="2">一</td><td colspan="2">一</td></tr>
</table>

注：1　场地为Ⅰ类时，除 6 度外均可按表内降低一度所对应的抗震等级确定抗震构造措施要求，但相应的抗震验算要求不降低；

2　设置少量抗震墙的框排架结构，在规定的水平力作用下，若底层框架承受地震倾覆力矩大于框架-剪力墙总地震倾覆力矩的 50%，其框架部分的抗震等级应按表中框架对应的抗震等级确定，抗震墙的抗震等级可与框架等级相同；

3　设有贮仓的框架（或框架-抗震墙）系指设有纵向的钢筋混凝土筒仓竖壁，且竖壁的高跨比不大于 2.5，大于 2.5 时应按不设筒仓确定；

4　大跨度框架指跨度大于 18m 的框架；

5　乙类框排架结构的抗震等级应提高一度确定。

6.3.2　现有框排架结构的结构体系应按下列规定检查：

1　一、二级抗震等级的框架结构及设有筒仓的框架，宜为现浇钢筋混凝土结构，三、四级抗震等级的框架结构，可采用装配整体式钢筋混凝土结构。

2　乙类设防且为一、二级时不宜为单跨框架，8 度、9 度时按梁柱的实际配筋、柱轴向力计算的框架柱的弯矩增大系数宜取大于 1.1。

3　框架结构宜按本标准第 6.2.1 条的要求检查其规则性，不规则结构设有防震缝时，其最小宽度应符合现行国家标准《构筑物抗震设计规范》GB 50191 的有关规定，并应提高相关部位的鉴定要求。

4 钢筋混凝土框排架结构的检查，尚应符合下列规定：

1）框架应双向布置，框架梁与柱的中线宜重合；

2）梁的截面宽度不宜小于200mm；梁截面的高宽比不宜大于4；梁净跨与截面高度之比不宜小于4；

3）框架梁属于贮仓的竖壁时，可不受本条第1、2款限制；

4）框架柱的截面宽度和高度均不宜小于400mm；柱的净高与截面高度之比宜大于4；

5）钢筋混凝土排架柱不应为薄壁开孔或预制腹板的工字形柱；柱底至地坪以上500mm高度范围内、阶形柱的上柱和牛腿处的各柱段，均应为矩形截面；

6）框架柱轴压比不宜超过表6.3.2-1的规定，超过时宜采取措施；柱净高与截面高度（圆柱直径）之比小于4、Ⅳ类场地上较高的框架结构，柱轴压比限值宜适当减小。

表 6.3.2-1 框架柱轴压比限值

结构类型	抗震等级			
	一	二	三	四
贮仓支承柱	0.65	0.75	0.85	0.90
框架柱	0.70	0.80	0.90	0.95
框架-抗震墙	0.80	0.85	0.90	0.95

5 钢筋混凝土框架-抗震墙的结构布置，尚应按下列规定检查：

1）抗震墙宜双向布置，框架梁与抗震墙的中线宜重合；

2）抗震墙宜贯通结构全高，且横向与纵向宜相连；

3）结构平面较长时，纵向抗震墙不宜设置在端开间；

4）抗震墙之间无大洞口楼盖、屋盖的长宽比不宜超过表6.3.2-2的规定；超过表6.3.2-2的规定时，应计入楼盖、屋盖平面内变形的影响。

表 6.3.2-2 B类钢筋混凝土框架-抗震墙无大洞口的楼盖、屋盖长宽比

楼盖、屋盖类别	烈度			
	6度	7度	8度	9度
现浇、装配整体式	4.0	4.0	3.0	2.0
装配式	3.0	3.0	2.5	不宜采用

5）抗震墙墙板厚度不应小于160mm，且不应小于层高的1/20，抗震墙周边应有梁（或暗梁）和端柱组成的边框。

6 钢筋混凝土抗震墙结构的布置，尚应按下列规定检查：

1）一、二级抗震墙和三级抗震墙加强部位的各墙肢应有翼墙、端柱或暗柱等边缘构件，暗柱或翼墙的截面范围应按现行国家标准《构筑物抗震设计规范》GB 50191的规定检查；

2）两端有翼墙或端柱的抗震墙墙板厚度，一级不应小于160mm，且不宜小于层高的1/20，二、三级不应小于140mm，且不宜小于层高的1/25。

7 钢筋混凝土柱排架结构的屋盖支撑布置和构造，尚应按下列规定检查：

1）屋盖支撑应符合表6.3.2-3～表6.3.2-5的规定，缺支撑时应增设；

2）8度、9度时跨度不大于15m的薄腹梁无檩屋盖，可仅在排架单元两端各有一道竖向支撑；

3）上、下弦横向支撑和竖向支撑的杆件应为型钢；

4）8度、9度时，横向支撑的直杆应符合压杆要求，交叉杆在交叉处不宜中断，不符合时应加固；

5）柱距不小于12m的托架（梁）区段及相邻柱距段一侧（不等高排架为两侧）应有下弦纵向水平支撑。

表 6.3.2-3　B 类排架结构的无檩屋盖支撑布置

<table>
<tr><td colspan="3" rowspan="2">支撑名称</td><td colspan="3">烈　度</td></tr>
<tr><td>6 度、7 度</td><td>8 度</td><td>9 度</td></tr>
<tr><td rowspan="6">屋架支撑</td><td colspan="2">上弦横向支撑</td><td>屋架跨度小于 18m 时同非抗震设计，跨度不小于 18m 时在排架单元端开间各有一道</td><td colspan="2">排架单元端开间及柱间支撑开间各有一道；天窗开洞范围的两端有局部的支撑一道</td></tr>
<tr><td colspan="2">上弦通长水平系杆</td><td>同非抗震设计</td><td>沿屋架跨度不大于 15m 有一道，装配整体式屋面可没有；围护墙在屋架上弦高度有现浇圈梁时，其端部处可没有</td><td>沿屋架跨度不大于 15m 有一道，装配整体式屋面可没有；围护墙在屋架上弦高度有现浇圈梁时，其端部处可没有</td></tr>
<tr><td colspan="2">下弦横向支撑</td><td colspan="2">同非抗震设计</td><td>同上弦横向支撑</td></tr>
<tr><td colspan="2">跨中竖向支撑</td><td colspan="2">同非抗震设计</td><td>同上弦横向支撑</td></tr>
<tr><td rowspan="2">两端竖向支撑</td><td>屋架端部高度 ≤900mm</td><td>同非抗震设计</td><td>排架单元端开间各有一道</td><td>排架单元端开间及每隔 48m 各有一道</td></tr>
<tr><td>屋架端部高度 >900mm</td><td>排架单元端开间各有一道</td><td>排架单元端开间及柱间支撑开间各有一道</td><td>排架单元端开间、柱间支撑开间及每隔 30m 各有一道</td></tr>
<tr><td colspan="3">天窗两侧竖向支撑</td><td>排架单元天窗端开间及每隔 30m 各有一道</td><td>排架单元天窗端开间及每隔 24m 各有一道</td><td>排架单元天窗端开间及每隔 18m 各有一道</td></tr>
<tr><td colspan="3">天窗上弦横向支撑</td><td>同非抗震设计</td><td>天窗跨度 ≥9m 时，排架单元天窗开间及柱间支撑开间各有一道</td><td>排架单元天窗端开间及柱间支撑开间各有一道</td></tr>
</table>

表 6.3.2-4　B类排架结构的中间井式天窗无檩屋盖支撑布置

<table>
<tr><td colspan="2" rowspan="2">支撑名称</td><td colspan="3">烈　　度</td></tr>
<tr><td>6度、7度</td><td>8度</td><td>9度</td></tr>
<tr><td colspan="2">上、下弦横向支撑</td><td>排架单元端开间各有一道</td><td colspan="2">排架单元端开间及柱间支撑开间各有一道</td></tr>
<tr><td colspan="2">上弦通长水平系杆</td><td colspan="3">在天窗范围内屋架跨中上弦节点处有</td></tr>
<tr><td colspan="2">下弦通长水平系杆</td><td colspan="3">在天窗两侧及天窗范围内屋架下弦节点处有</td></tr>
<tr><td colspan="2">跨中竖向支撑</td><td colspan="3">在上弦横向支撑开间处有，位置与下弦通长系杆相对应</td></tr>
<tr><td rowspan="2">两端竖向支撑</td><td>屋架端部高度≤900mm</td><td colspan="2">同非抗震设计</td><td>同上弦横向支撑，且间距不大于48m</td></tr>
<tr><td>屋架端部高度>900mm</td><td>排架单元端开间各有一道</td><td>同上弦横向支撑，且间距不大于48m</td><td>同上弦横向支撑，且间距不大于30m</td></tr>
</table>

表 6.3.2-5　B类排架结构的有檩屋盖支撑布置

<table>
<tr><td colspan="2" rowspan="2">支撑名称</td><td colspan="3">烈　　度</td></tr>
<tr><td>6度、7度</td><td>8度</td><td>9度</td></tr>
<tr><td rowspan="3">屋架支撑</td><td>上弦横向支撑</td><td>排架单元端开间各有一道</td><td>排架单元端开间及排架单元长度大于66m的柱间支撑开间各有一道；天窗开窗范围的两端各有局部的支撑一道</td><td rowspan="2">排架单元端开间及排架单元长度大于42m的柱间支撑开间各有一道；
天窗开窗范围的两端各有局部的上弦横向支撑一道</td></tr>
<tr><td>下弦横向支撑，跨中竖向支撑</td><td colspan="2">同非抗震设计</td></tr>
<tr><td>端部竖向支撑</td><td colspan="3">屋架端部高度大于900mm时，排架单元端开间及柱间支撑开间各有一道</td></tr>
</table>

续表 6.3.2-5

<table>
<tr><th colspan="2" rowspan="2">支撑名称</th><th colspan="3">烈度</th></tr>
<tr><th>6度、7度</th><th>8度</th><th>9度</th></tr>
<tr><td rowspan="2">天窗架支撑</td><td>上弦横向支撑</td><td>排架单元的天窗端开间各有一道</td><td rowspan="2">排架单元的天窗端开间及每隔 30m 各有一道</td><td rowspan="2">排架单元的天窗端开间及每隔 18m 各有一道</td></tr>
<tr><td>两侧竖向支撑</td><td>排架单元的天窗端开间及每隔 36m 各有一道</td></tr>
</table>

6.3.3 梁、柱、墙实际达到的混凝土强度等级不应低于 C20。一级的框架梁、柱和节点不宜低于 C30。构造柱、芯柱和扩展基础不宜低于 C15。

6.3.4 现有框架梁的配筋与构造应按下列规定检查：

1 梁端纵向受拉钢筋的配筋率不宜大于 2.5%，且混凝土受压区高度和有效高度之比，一级不应大于 0.25，二、三级不应大于 0.35。

2 梁端截面的底面和顶面实际配筋量的比值，除应按计算确定外，一级不应小于 0.5，二、三级不应小于 0.3。

3 梁端箍筋实际加密区的长度、箍筋最大间距和最小直径，应按表 6.3.4 的要求检查。

4 梁顶面和底面的通长钢筋，一、二级不应少于 $2\phi14$，且不应少于梁端顶面和底面纵向钢筋中较大截面面积的 1/4，三、四级不应少于 $2\phi12$。

5 加密区箍筋肢距，一、二级不宜大于 200mm，三、四级不宜大于 250mm。当纵向钢筋每排多于 4 根时，每隔一根宜用箍筋或拉筋固定。

表 6.3.4 梁端箍筋加密区的长度、箍筋最大间距和最小直径

抗震等级	加密区长度（采用较大值）(mm)	箍筋最大间距（采用最小值）(mm)	箍筋最小直径 (mm)
一	$2h_b$，500	$h_b/4$，$6d$，100	10
二	$1.5h_b$，500	$h_b/4$，$8d$，100	8
三	$1.5h_b$，500	$h_b/4$，$8d$，150	8
四	$1.5h_b$，500	$h_b/4$，$8d$，150	6

注：1 d 为纵向钢筋直径；h_b 为梁高；
2 当框架梁端纵向受拉钢筋配筋率大于 2%时，箍筋最小直径数值应增大 2mm。

6.3.5 现有框架柱的配筋与构造应按下列规定检查：

1 柱实际纵向钢筋的总配筋率不应小于表 6.3.5-1 的规定。

表 6.3.5-1 柱纵向钢筋的最小总配筋率（%）

柱的类别	抗震等级			
	一	二	三	四
中柱和边柱	0.8	0.7	0.6	0.5
角柱和贮仓支承柱	1.0	0.9	0.8	0.7

注：对Ⅳ类场地上较高的框排架结构，表中的数值应增加 0.1。

2 柱箍筋在规定的范围内应加密，加密区的箍筋最大间距和最小直径，应符合下列规定：

1） 箍筋的最大间距和最小直径，不宜低于表 6.3.5-2 的要求；

2） 二级框架柱的箍筋直径不小于 10mm 且箍筋肢距不大于 200mm 时，除柱根外最大间距可为 150mm；

3） 三级框架柱的截面尺寸不大于 400mm 时，箍筋最小直径应允许为 6mm；

4）框架柱剪跨比不大于 2 时，箍筋直径不应小于 8mm；

5）贮仓支承柱、剪跨比不大于 2 的框架柱，箍筋间距不应大于 100mm。

表 6.3.5-2　框架柱加密区的箍筋最大间距和最小直径

抗震等级	箍筋最大间距（采用较小值，mm）	箍筋最小直径（mm）
一	6d，100	10
二	8d，100	8
三	8d、150（柱根 100）	8
四	8d、150（柱根 100）	6（柱根 8）

注：d 为柱纵向钢筋最小直径；柱根指框架底层柱的嵌固部位。

3　柱箍筋的加密区范围，应按下列规定检查：

1）柱端，为截面高度（圆柱直径）、柱净高的 1/6 和 500mm 三者的最大值；

2）底层柱为刚性地面上下各 500mm；

3）柱净高与柱截面高度之比小于 4 的柱（包括因嵌砌填充墙等形成的短柱）、一级框架的角柱、贮仓支承柱为全高。

4　加密区的箍筋最小体积配箍率，不宜小于表 6.3.5-3 的规定。一、二级时，净高与柱截面高度（圆柱直径）之比小于 4 的柱的体积配箍率，不宜小于 1.0%。

5　柱加密区箍筋肢距，一级不宜大于 200mm，二级不宜大于 250mm，三、四级不宜大于 300mm，且每隔一根纵向钢筋宜在两个方向有箍筋约束。

6　柱非加密区的实际箍筋量不宜小于加密区的 50%，且箍筋间距，一、二级不应大于纵向钢筋直径的 10 倍，三级不应大于纵向钢筋直径的 15 倍。

表 6.3.5-3 柱加密区箍筋最小体积配箍率（%）

抗震等级	箍筋形式	柱轴压比		
		<0.4	0.4～0.6	>0.6
一	普通箍、复合箍	0.8	1.2	1.6
	螺旋箍	0.8	1.0	1.2
二	普通箍、复合箍	0.6～0.8	0.8～1.2	1.2～1.6
	螺旋箍	0.6	0.8～1.0	1.0～1.2
三	普通箍、复合箍	0.4～0.6	0.6～0.8	0.8～1.2
	螺旋箍	0.4	0.6	0.8

注：1 普通箍指单个矩形箍；复合箍指由矩形、多边形或拉筋组成的箍筋；
2 剪跨比不大于 2 的柱宜采用井字复合箍，其体积配箍率不应小于 1.2%，9 度一级时不应小于 1.5%；
3 筒仓支承柱宜为井字复合箍，其体积配箍率不应小于 1.5%；
4 当混凝土强度等级高于 C35 且采用Ⅱ级钢筋的箍筋时，最小体积配箍率可按表中规定的数值乘以折减系数 0.85，但不应小于 0.4%；
5 井字复合箍的肢距不大于 200mm 且直径不小于 10mm 时，可采用表中螺旋箍的最小配箍率。

6.3.6 框架节点核芯区内箍筋的最大间距和最小直径宜按本标准表 6.3.5-2 检查，一、二、三级的体积配箍率分别不宜小于 1.0%、0.8%、0.6%，但轴压比小于 0.4 时仍按本标准表 6.3.5-3 检查。

6.3.7 抗震墙墙板的配筋与构造，应按下列规定检查：

1 抗震墙墙板横向、竖向分布钢筋的配筋，均不应小于 0.25%，并应配置双排钢筋；钢筋间距不应大于 300mm，直径不应小于 8mm；拉筋直径不应小于 6mm，间距不应大于 600mm。

2 抗震墙边缘构件的配筋，应符合表 6.3.7 的要求；当剪力墙因设置门洞而使边框柱成为独立柱时，该边框柱沿全高范围的箍筋配置宜符合本标准第 6.3.5 条框架柱箍筋加密区的构造要求。

表 6.3.7 抗震墙边缘构件的配筋要求

抗震等级	纵向钢筋	箍筋	
		最小直径	最大间距（mm）
一级	$0.015A_c$	$\phi8$	100
二级	$0.012A_c$	$\phi8$	150
三级	$0.005A_c$ 或 $2\phi14$ 中的较大值	$\phi6$	150
四级	$2\phi12$	$\phi6$	150

注：A_c 为边框柱或暗柱的截面面积；对翼柱 A_c 取（$1.5b_2$～$2.0b_2$）的截面面积。

6.3.8 钢筋的接头和锚固应符合现行国家标准《混凝土结构设计规范》GB 50010 的有关规定。

6.3.9 框架结构砌体填充墙应按下列规定检查：

1 砌体填充墙在平面和竖向的布置，宜均匀对称。

2 不约束框架变形的砌体填充墙，宜与框架柱柔性连接，墙体与柱边应留有不小于 30mm 的缝隙，并应填充柔性填料，但墙顶应与框架梁紧密结合。

3 砌体填充墙与框架为刚性连接时，应按下列规定检查：

1）具有抗侧力作用的实心砖墙应嵌砌在框架平面内且与梁柱紧密结合，墙厚不应小于 240mm，砂浆强度等级不应低于 M5；

2）沿框架柱高每隔 500mm 应有 $2\phi6$ 拉筋，拉筋伸入填充墙内长度，一、二级框架宜沿墙全长拉通；三、四级框架不应小于墙长的 1/5 且不小于 700mm；

3）墙长度大于 5m 时，墙顶部与梁宜有拉结措施，墙高度超过 4m 时，宜在墙高中部有与柱连接的通长钢筋混凝土水平系梁。

6.3.10 现有排架柱的构造与配筋应符合下列规定：

1 下列范围内排架柱的箍筋间距不应大于 100mm，最小箍筋直径应符合表6.3.10的规定。不满足要求时应加固：

1）柱顶以下500mm，且不小于柱截面长边尺寸；

2）阶形柱牛腿面至吊车梁顶面以上300mm；

3）牛腿或柱肩全高；

4）柱底至设计地坪以上500mm；

5）柱间支撑与柱连接节点和柱变位受约束的部位上下各300mm。

表6.3.10　排架柱加密区的最小箍筋直径（mm）

加密区位置	烈度和场地类别		
	6度和7度Ⅰ、Ⅱ类场地	7度Ⅲ、Ⅳ类场地和8度Ⅰ、Ⅱ类场地	8度Ⅲ、Ⅳ类场地和9度
一般柱头、柱根	8	8	8
上柱、牛腿、有支撑的柱根	8	8	10
有支撑的柱头，柱变位受约束的部位	8	10	10

2　支承低跨屋架的中柱牛腿（柱肩）中，承受水平力的纵向钢筋与预埋件应焊牢。6度、7度时，承受水平力的纵向钢筋不应少于2ϕ12，8度时不应少于2ϕ14，9度时不应少于2ϕ16。

6.3.11　现有的柱间支撑应为型钢，其斜杆与水平面的夹角不宜大于55°。柱间支撑布置应按下列规定检查，不符合时应增加支撑或采取其他相应措施：

1　排架单元中部应有一道上下柱柱间支撑，有吊车或8度、9度时，单元两端宜各有一道上柱支撑。

2　柱间支撑斜杆的长细比，不宜超过表6.3.11的规定。交叉支撑在交叉点应设置节点板，其厚度不应小于10mm，斜杆与该节点板应焊接，与端节点板宜焊接。

表 6.3.11　柱间支撑交叉斜杆的长细比限值

位　　置	烈　　度			
	6 度	7 度	8 度	9 度
上柱支撑	250	250	200	150
下柱支撑	200	200	150	150

3　8 度时跨度不小于 18m 的多跨排架中柱和 9 度时多跨排架各柱，柱顶应有通长水平压杆，水平压杆可与梯形屋架支座处通长水平系杆合并设置，钢筋混凝土系杆端头与屋架间的空隙应采用混凝土填实。

4　下柱支撑的下节点位置和构造应能将地震作用直接传给基础。6 度、7 度时，下柱支撑的下节点在地坪以上时应靠近地面处。

6.3.12　排架结构构件现有的连接构造应按下列规定检查，不符合要求时应采取相应的加强措施：

1　有檩屋盖的檩条在屋架（屋面梁）上的支承长度不宜小于 50mm，且与屋架（屋面梁）应焊牢；双脊檩应在跨度 1/3 处相互拉结；槽瓦、瓦楞铁、石棉瓦等与檩条的连接件不应漏缺或锈蚀。

2　大型屋面板应与屋架（屋面梁）焊牢，靠近柱列的屋面板与屋架（屋面梁）的连接焊缝长度不宜小于 80mm；6 度、7 度时，有天窗排架单元的端开间，或 8 度、9 度各开间，垂直屋架方向两侧相邻的大型屋面板的顶面宜相互焊牢；8 度、9 度时，大型屋面板端头底面的预埋件宜采用角钢，并宜与主筋焊牢。

3　突出屋面天窗架的侧板与天窗立柱宜用螺栓连接。

4　屋架（屋面梁）与柱子的连接，8 度时宜为螺栓，9 度时宜为钢板铰或螺栓；屋架（屋面梁）端部支承垫板的厚度不宜小于 16mm；柱顶预埋件的锚筋，8 度时不宜少于 4ϕ14，9 度时不宜少于 4ϕ16，有柱间支撑的柱子，柱顶预埋件尚应有抗剪钢板；柱间支撑与柱连接节点预埋件的锚件，8 度Ⅲ、Ⅳ类场地和 9 度时宜为角钢加端板，其他情况可采用 HRB335、HRB400 钢筋，但锚固长度不应小于锚筋直径的 30 倍。

5 山墙抗风柱与屋架（屋面梁）上弦应有可靠连接；当抗风柱与屋架下弦相连接时，连接点应设在下弦横向支撑节点处；且下弦横向支撑的截面和连接节点应进行抗震承载力验算。

6.3.13 排架结构的黏土砖围护墙现有的连接结构，应按下列规定检查：

1 纵墙、山墙、高低跨封墙和纵横跨交接处的悬墙，沿柱高每隔不大于 500mm 均应有 2ϕ6 钢筋与柱（包括抗风柱）、屋架（包括屋面梁）端部、屋面板和天沟板可靠拉结。高低跨排架的高跨封墙不应直接砌在低跨屋面上。

2 砖围护墙的圈梁应符合下列规定：

1） 梯形屋架端部上弦和柱顶标高处应有现浇钢筋混凝土圈梁各一道，但屋架端部高度不大于 900mm 时可合并设置；

2） 8 度、9 度时，应按上密下疏的原则沿墙高每隔 4m 有圈梁一道；沿山墙顶应有卧梁并宜与屋架端部上弦高度处的圈梁连接，不等高排架的高低跨封墙和纵横跨交接处的悬墙中，圈梁的竖向间距不应大于 3m；

3） 圈梁宜闭合，当柱距不大于 6m 时，圈梁的截面宽度宜与墙厚相同，高度不应小于 180mm，其配筋在 6 度～8 度时不应少于 4ϕ12，9 度时不应少于 4ϕ14；排架转角处柱顶圈梁在端开间范围内的纵筋，6 度～8 度时不宜少于 4ϕ14，9 度时不应少于 4ϕ16，转角两侧各 1m 范围内的箍筋直径不宜小于 ϕ8，间距不宜大于 100mm；各圈梁在转角处应有不少于 3 根且直径与纵筋相同的水平斜筋；

4） 圈梁与屋架或柱应有可靠连接；山墙卧梁与屋面板应有拉结；顶部圈梁与柱锚拉的钢筋不宜少于 4ϕ12，且锚固长度不宜小于钢筋直径的 35 倍；变形缝处圈梁和柱顶、屋架锚拉的钢筋均应有所加强。

3 墙梁宜为现浇；当采用预制墙梁时，预制墙梁与柱应有可靠连接，梁底与其下的墙顶宜有拉结；排架转角处相邻的墙梁，应相互可靠连接。

4 女儿墙可按本标准第3.0.12条的规定检查，位于出入口、高低跨交接处和披屋上部的女儿墙不符合要求时应采取相应措施。

6.3.14 排架结构的砌体内隔墙的构造应按下列规定检查：

1 独立隔墙的砌筑砂浆，实际达到的强度等级不宜低于M2.5。

2 到顶的内隔墙与屋架（屋面梁）下弦之间不应有拉结，但墙体应有稳定措施。

3 隔墙应与柱柔性连接或脱开，并应有稳定措施，顶部应有现浇钢筋混凝土压顶梁。

（Ⅱ）抗震承载力验算

6.3.15 现有B类钢筋混凝土框排架结构，应按现行国家标准《构筑物抗震设计规范》GB 50191的抗震分析方法和本标准第5.2节的规定进行抗震承载力验算，乙类框排架结构尚应进行罕遇地震下的弹塑性变形验算；当框架结构的抗震构造措施不满足本标准第6.3.1～6.3.9条的要求时，可按本标准第6.2节的方法计入构造的影响进行综合评价。6度和7度Ⅰ、Ⅱ类场地，柱高不超过10m且两端有山墙的单跨及等高多跨B类排架结构，当抗震构造措施符合本节有关规定时，可不进行截面抗震验算；其他B类排架结构，均应按现行国家标准《构筑物抗震设计规范》GB 50191的抗震分析方法和本标准第5章的规定进行抗震承载力验算。

6.3.16 框架结构构件截面抗震验算时，其组合内力设计值的调整应符合本标准附录D的规定，截面抗震验算应符合本标准附录E的规定。当场地处于本标准第4.1.3条规定的不利地段时，地震作用尚应乘以增大系数 1.1～1.6。

6.3.17 计入黏土砖填充墙抗侧力作用的框架结构，可按本标准附录 F 进行抗震验算。

6.3.18 B 类钢筋混凝土框架结构的体系影响系数，可根据结构体系、梁柱箍筋、轴压比、墙体边缘构件等构造符合鉴定要求的程度和部位，按下列情况确定：

1 当结构体系、梁柱箍筋、轴压比、墙体边缘构件等各项构造均符合现行国家标准《构筑物抗震设计规范》GB 50191 的规定时，可取 1.1。

2 当各项构造均符合本标准第 6.3.1～6.3.14 条的规定时，可取 1.0。

3 当各项构造均符合本标准第 6.2 节 A 类框架结构鉴定的规定时，可取 0.8。

4 当结构受损伤或发生倾斜但已修复纠正时，本条第 1～3 款的体系影响系数值尚宜乘以 0.8～1.0。

7 钢框排架结构

7.1 一般规定

7.1.1 本章适用于多层钢框架或钢框架-支撑结构与单层排架侧向组成的框排架结构的抗震鉴定。

7.1.2 抗震鉴定时，应重点检查承重梁、柱、楼板的钢材材质、厚度和连接，支撑连接节点，墙体与承重结构的连接，场地条件的不利影响，设备的振动和偏心等。

7.1.3 排架突出屋面的天窗架，宜为刚架或桁架结构，天窗的端壁板与挡风板，宜为轻质材料。

7.1.4 框排架结构的布置，应按下列规定检查：

1 平面形状复杂、高度差异大或楼层荷载相差悬殊时，宜设置防震缝。设置防震缝时，宜符合现行国家标准《构筑物抗震设计规范》GB 50191 的有关规定。

2 料斗等设备穿过楼层且支承在下部楼层时，设备重心宜接近楼层的支点处。同一设备穿过两个以上楼层时，宜在非设备重心处的楼层作为支座，必要时可另选一层加设水平支承点。

3 设备为自承重时，设备应与主体结构分开。

4 8 度、9 度时，与框排架结构贴建的生活间、变电所、炉子间和运输走廊等附属建（构）筑物，宜有防震缝分开。防震缝宽度宜符合本标准第 6 章有关钢筋混凝土框排架结构规定值的 1.5 倍。

5 排架结构端部不宜为山墙承重，宜设有屋架。

6 8 度、9 度时，工作平台宜与排架柱脱开或柔性连接。

7 8 度、9 度时，砖围护墙宜为外贴式，不宜为一侧有墙另一侧敞开或一侧外贴而另一侧嵌砌等，但单跨排架可两侧均为嵌砌式。

8 8 度、9 度时仅一端有山墙的敞开端和不等高排架的边柱列等，应具有抗扭转效应的构造措施。

7.1.5 框排架结构的外观和内在质量，应按下列规定检查：

1 柱、梁、屋架、檩条、支撑等受力构件应无明显变形、锈蚀、裂纹等缺陷。

2 构件和节点的焊缝外形宜均匀、成型较好，应无裂纹、咬边等缺陷。

3 连接螺栓和铆钉应无松动或断裂、掉头、错位等损坏情况。

7.1.6 8度和9度时，排架的纵向天窗架宜从结构单元端部第二个开间开始设置，如不满足要求在第一个开间设置时屋盖局部应增设上弦横向支撑。

7.1.7 框排架结构应设置完整的屋盖支撑和柱间支撑系统，结构应具有整体刚度和空间工作性能。排架柱间支撑系统，应符合现行国家标准《构筑物抗震设计规范》GB 50191 的有关规定。

7.1.8 框排架结构围护墙和非承重内墙的构造，宜按下列规定检查：

1 砌体围护墙与框排架结构的连接，宜为不约束结构变形的柔性连接。

2 框架结构的砌体填充墙与框架柱为非柔性连接时，其平面和竖向布置宜对称、均匀且上下连续。

7.1.9 框排架结构的抗震鉴定，应包括抗震措施鉴定和抗震承载力验算。当符合本章各项规定时，应评为满足抗震鉴定要求；当不符合本章各项规定时，可根据构造和承载力的不符合的程度，通过综合分析确定采取加固或其他相应对策。

7.2 A类框排架结构抗震鉴定

（Ⅰ）抗震措施鉴定

7.2.1 排架屋盖支撑布置，应符合本标准表 6.2.7-1～表

6.2.7-3的规定。

7.2.2 A类框排架结构的抗震措施鉴定，应符合下列规定：

1 框架的梁柱为刚接时，梁翼缘与柱宜为全焊透焊接；梁腹板与柱可为高强度螺栓连接或双边角焊缝连接，8度、9度时不宜为普通螺栓连接。

2 柱的长细比，7度和8度时不宜超过150，9度时不宜超过120。

3 梁柱板件宽厚比限值，应符合表7.2.2的要求。

表7.2.2 A类框排架结构的梁柱板件宽厚比限值

板件名称		7度、8度	9度
柱	工字形截面翼缘外伸部分	13	12
	箱形截面壁板	40	36
	工字形截面腹板	50	46
梁	工字形截面和箱形截面翼缘外伸部分	13	12
	箱形截面翼缘在两腹板间的部分	34	32

4 多层框架的纵向柱间支撑布置，宜符合本标准第7.3.1条第4款的要求。

（Ⅱ）抗震承载力验算

7.2.3 A类框排架结构的抗震承载力验算，应符合下列规定：

1 外观良好且符合下列规定之一的框排架结构，可不进行抗震承载力验算：

1） 6度时，单层排架和与其侧面连接的多层框架组成的框排架结构；

2） 7度Ⅰ、Ⅱ类场地时的等高多跨的轻屋盖单层排架结构；

3） 7度、8度时，符合本节抗震措施鉴定要求的框排架结构。

2 不符合本条第1款规定时，可按本标准第5章的规定进行抗震承载力验算，验算时构件组合内力设计值可不作调整。

7.3 B类框排架结构抗震鉴定

（Ⅰ）抗震措施鉴定

7.3.1 B类框排架结构的抗震措施鉴定，应按下列规定检查：

1 传递地震作用的框架梁柱连接、柱间支撑端部连接等主要构件连接节点，宜为焊接或高强度螺栓连接，亦可为栓焊混合连接。8度和9度时，主要承重构件的重要传力连接节点不应为普通螺栓连接。所有焊接连接中，不得采用间断焊缝。8度、9度时的主要节点，不宜为承压型高强度螺栓连接。

2 排架的外包砌体墙及多层框架的轻质砌块墙，其墙体与柱、梁和构造柱之间宜有ϕ6@500的钢筋拉结；8度和9度为嵌砌砖墙时，墙柱之间宜为柔性无约束的构造。

3 多跨排架的中跨柱距与边跨柱距不等时，屋盖结构单元的全长应设置纵向水平支撑，并应与屋盖横向支撑形成封闭的支撑体系。在一个结构单元内，多跨排架中相邻两跨纵向长度不等时，在屋盖阴角处宜设有局部的纵向水平支撑。

4 多层框架纵向柱间支撑布置，应符合下列规定：

1） 支撑宜设置在柱列中部附近，当纵向柱数较少时，亦可在两端设置；多层多跨框排架纵向柱间支撑的布置，应靠近质心，并避免上、下层刚心的偏移；

2） 多层框架柱列侧移刚度相差较大或各层质量分布不均，且结构可能产生扭转时，在单层与多层相连处应沿全长设置纵向支撑。

5 排架的柱间支撑布置，应符合下列规定：

1） 结构单元中部应有一道上下柱间支撑；8度、9度时，单元两端宜各有一道上柱支撑；

2） 柱间支撑斜杆的长细比，不宜超过表7.3.1的规定。交叉支撑在交叉处应设有厚度不小于10mm的节点板，斜杆与节点板应焊接连接。

表 7.3.1 柱间支撑交叉斜杆的长细比限值

位置	烈度			
	6度	7度	8度	9度
上柱支撑	250	250	200	150
下柱支撑	200	200	150	150

3）8度时跨度不小于18m的多跨排架中柱和9度时的多跨排架各柱，柱顶应有通长水平压杆，水平压杆可与梯形屋架支座处通长水平系杆合并设置；

4）下柱支撑的下节点位置和构造，应能将地震作用直接传至基础。6度、7度时，下柱支撑的下节点在地坪以上时应靠近地面处。

6 排架的屋盖支撑布置，应符合本标准表6.3.2-3～表6.3.2-5的规定。

7.3.2 多层框架刚接节点在梁翼缘与柱焊接处，柱腹板应设置横向加劲肋；8度和9度时，横向加劲肋厚度不宜小于相对应的梁翼缘厚度。

7.3.3 柱的长细比，7度、8度时不应超过150，9度时不应超过120。

7.3.4 梁柱板件宽厚比，应符合表7.3.4的要求。

表 7.3.4 B类框排架结构的板件宽厚比限值

板件名称		7度、8度	9度
柱	工字形截面翼缘外伸部分	13	11
	箱形截面壁板	40	36
	工字形截面腹板	48	44
梁	工字形截面和箱形截面翼缘外伸部分	13	11
	箱形截面翼缘在两腹板间的部分	32	30

（Ⅱ）抗震承载力验算

7.3.5 6度和7度Ⅰ、Ⅱ类场地，且风荷载大于0.5MPa的单跨和等高多跨的轻屋盖排架结构，当抗震措施符合本章规定时，可不进行抗震承载力验算。其他B类框排架结构均应按现行国家标准《构筑物抗震设计规范》GB 50191的抗震分析方法和本标准第5章的规定进行纵向和横向抗震承载力验算。

8 通　　廊

8.1 一 般 规 定

8.1.1 本章适用于下列通廊的抗震鉴定：

1 砌体支承结构通廊和砖混结构通廊中的廊身砌体结构或混合支承结构通廊中的砌体支承结构。

2 钢筋混凝土结构通廊。

3 钢结构通廊。

8.1.2 通廊结构的外观和内在质量的检查，应符合下列规定：

1 通廊结构不应有明显的倾斜或变形。

2 砌体结构不应有明显的疏松、开裂或外闪。

3 混凝土构件不应有严重的腐蚀和剥落，钢筋应无外露和锈蚀。

4 钢结构构件应无明显腐蚀、损伤、断裂，地脚螺栓应无松动、断裂或严重腐蚀。

8.1.3 通廊的端部与相邻建（构）筑物之间，6 度、7 度时宜设防震缝；8 度和 9 度时，应设防震缝。

8.1.4 通廊防震缝的设置，应符合下列规定：

1 钢筋混凝土支承结构通廊，两端与建(构)筑物脱开或一端脱开、另一端支承在建(构)筑物上且为滑(滚)动支座时，其与建(构)筑物之间的防震缝最小宽度，当邻接处通廊屋面高度不大于15m 时，可为 70mm；当高度大于 15m 时，6 度～9 度相应每增加高度 5m、4m、3m、2m，防震缝宜再加宽 20mm。

钢支承结构的通廊，可采用钢筋混凝土支承结构通廊的防震缝最小宽度的 1.5 倍。

2 一端落地的通廊，落地端与建（构）筑物之间的防震缝最小宽度，不宜小于 50mm；另一端防震缝最小宽度不宜小于本条第1款规定宽度的1/2加20mm。

3 通廊中部设置防震缝时，防震缝的两侧均宜设有支承结构，防震缝宽度宜符合本条第1款规定。

4 当地下通廊设置防震缝时，宜设置在地下通廊转折处或变截面处，以及地下通廊与地上通廊或建（构）筑物的连接处；地下通廊的防震缝宽度，不宜小于50mm。

5 地下通廊与地上通廊之间的防震缝，宜在地下通廊底板高出地面不小于500mm处设置。

8.1.5 建（构）筑物上支承通廊的横梁及支承结构的肩梁，宜符合下列规定：

1 横梁、肩梁与通廊大梁连接处宜设有支座钢垫板，其厚度不宜小于16mm。

2 7度～9度时，钢筋混凝土肩梁支承面的预埋件，宜设有垂直于通廊纵向的抗剪钢板，抗剪钢板宜设有加劲板。

3 通廊大梁与肩梁间，宜为螺栓连接。

4 钢筋混凝土横梁、肩梁，宜为矩形截面；不宜在横梁上伸出短柱作为通廊大梁的支座。

8.1.6 当通廊跨间承重结构支承在建（构）筑物上时，宜为滑（滚）动等支座形式，并应有防止落梁的措施。

8.2 砌体结构通廊

（Ⅰ）抗震措施鉴定

8.2.1 砖混结构通廊的抗震鉴定，应重点检查通廊结构布置及其连接构造、主要砌体结构的材料强度等级和砌筑质量。

8.2.2 通廊与其支承的建（构）筑物之间应有合理的连接构造。不符合要求时，应采取加固措施。

8.2.3 通廊与毗邻建（构）筑物之间设有防震缝分隔时，防震缝的宽度应符合本标准第8.1.4条的规定。不符合要求时，应分析碰撞可能造成的损坏，并应采取相应的抗震措施。

8.2.4 8度Ⅲ、Ⅳ类场地和9度时，不应为砌体支承结构。

8.2.5 6度、7度和8度Ⅰ、Ⅱ类场地时，通廊砌体支承结构应符合下列规定：

1 支承结构不应为无筋砌体支墩。

2 支承结构为砖墙、砖拱时，应为平面封闭或箱形结构。

8.2.6 通廊的砌体支承结构为箱形时，应符合下列规定：

1 墙厚不应小于240mm，黏土砖强度等级不应低于MU5.0，砂浆强度等级不应低于M2.5。墙体顶部应有封闭圈梁（卧梁），并应与廊身钢筋混凝土大梁可靠连接。内部横墙间距不应大于12m。

2 墙体沿高度每隔4m应有一道圈梁。

3 8度、9度时，墙体的四角和内外墙交汇处应设有构造柱，其最小截面可为240mm×180mm。混凝土强度等级不宜低于C15，纵向钢筋不宜小于4ϕ12。

8.2.7 8度、9度时，混合支承结构通廊单元内，宜设有钢筋混凝土四柱式框架支架。

8.2.8 砖砌体廊身，应符合下列规定：

1 廊身为预制钢筋混凝土屋面板时，墙顶应设有钢筋混凝土檐口圈梁。墙体檐口圈梁与构造柱之间应有钢筋拉结。

2 墙体应设有构造柱，6度～9度时，构造柱的间距分别不宜大于8m、6m、5m、4m。

3 屋面板与檐口圈梁之间、底板与纵向大梁之间，均应有可靠连接。

4 轻型屋面的承重构件应与廊身砖墙有可靠连接，通廊单元两端均应各设有一道屋面横向水平支撑。

8.2.9 砌体支承结构与钢或钢筋混凝土支架混合支承时，其砌体支承结构应按提高一度设防要求进行抗震措施鉴定。

（Ⅱ）抗震承载力验算

8.2.10 满足抗震措施鉴定要求的下列砖混结构通廊，可不进行抗震承载能力验算，可直接判定为满足抗震鉴定要求：

1 地下通廊。

2 6度和7度Ⅰ、Ⅱ类场地时的砖混结构通廊和砌体支承结构通廊。

8.2.11 下列通廊的砌体支承结构，应按现行国家标准《构筑物抗震设计规范》GB 50191的方法和本标准第5章的规定进行抗震承载力验算：

1 7度Ⅲ、Ⅳ类场地和8度、9度时，砖混结构通廊和砌体支承结构通廊的支承结构。

2 8度和9度时，混合支承结构通廊中的砌体支承结构。

8.3 钢筋混凝土结构通廊

（Ⅰ）抗震措施鉴定

8.3.1 现有钢筋混凝土结构通廊的抗震鉴定，应根据其设防烈度重点检查下列薄弱部位：

1 6度时，应检查局部易掉落的构件、部件，其中包括通廊围护结构与主体结构的连接构造，以及通廊与支承建（构）筑物、毗邻建（构）筑物间非结构构件的连接构造。

2 7度时，除应按本条第1款检查外，尚应检查通廊结构的布置及连接构造，其中应包括通廊大梁上的门架(或立柱)与支承梁的连接，通廊底板、屋盖结构的布置与连接构造，通廊大梁(桁架)与支架结构的连接与构造，支架梁柱节点的连接方式。

3 8度、9度时，除应按本条第1、2款检查外，尚应检查通廊大梁（桁架)、通廊支架梁柱的配筋、材料强度等级，以及通廊与支承建（构）筑物、毗邻建（构）筑物间相互作用的不利影响等。

8.3.2 钢筋混凝土结构通廊的外观和内在质量，应符合下列规定：

1 支承结构应无明显歪扭、倾斜，构件连接应无明显裂缝、错动、腐蚀和其他破坏。

2 屋盖和底板应无明显变形、开裂、渗漏和钢筋锈蚀。

3 围护墙体应无明显开裂、位移或与主体结构脱开，砖砌体廊身应符合本标准第8.2.8条的要求。

4 大梁等承重构件应无明显裂缝或大面积剥落，钢筋应无外露和锈蚀。

5 结构构件应无其他损伤。

8.3.3 8度、9度时，框架式支承结构应符合下列规定：

1 当横梁净跨度大于4倍截面高度时，横梁两端在长度为截面高度范围内宜设有加密的封闭箍筋，其间距不宜大于横梁截面高度1/4、纵向钢筋直径的6倍和150mm中的最小值。

2 当横梁净跨度不大于4倍截面高度时，横梁的全长均宜设有本条第1款要求的封闭箍筋。

3 当柱间设有填充墙时，A类和B类通廊的填充墙应分别符合本标准第3.0.13条和第3.0.14条的有关要求。

8.3.4 8度、9度时，通廊大梁（桁架）与其支承结构的连接应符合下列规定：

1 预制钢筋混凝土大梁（桁架）端部与支承结构肩梁间，宜为焊接连接或螺栓连接。支承结构顶部预埋件的锚筋，8度时不宜小于4ϕ14，9度时不宜小于4ϕ16。

2 当本条第1款的连接为螺栓连接时，螺栓直径不宜小于M20。

3 钢筋混凝土大梁（桁架）端部不应支承于短柱支座上。

4 大跨度大梁（桁架）端部底面与支承结构顶面连接处，均应设有支座垫板。

5 通廊落地端混凝土或钢筋混凝土支墩的锚栓直径不宜小于M20。

8.3.5 通廊大梁（桁架）支承在建（构）筑物上时，宜为滑动或滚动等支座，并应有防止落梁的限位措施。

8.3.6 钢筋混凝土结构通廊的防震缝设置，应符合本标准第

8.1.4 条的规定。

8.3.7 8 度和 9 度时，混合支承或支架支承的重型通廊，在每个通廊单元中应设有钢筋混凝土四柱式框架支架。

（Ⅱ）抗震承载力验算

8.3.8 当抗震措施符合本节第 8.3.1～8.3.7 条的要求时，下列钢筋混凝土结构通廊可不进行抗震承载能力验算，可直接判定为满足抗震鉴定要求：

1 露天式和半露天式通廊。

2 6 度、7 度和 8 度Ⅰ、Ⅱ类场地时，轻质材料围护墙和轻型屋面的钢筋混凝土结构通廊。

3 6 度和 7 度Ⅰ、Ⅱ类场地时，廊身为钢筋混凝土桁架壁板合一式通廊。

4 6 度、7 度时，廊身为钢筋混凝土箱形结构的通廊。

8.3.9 下列通廊的结构构件，应按现行国家标准《构筑物抗震设计规范》GB 50191 的抗震分析方法和本标准第 5 章的规定进行抗震承载力验算：

1 属于本标准第 8.2.9 条混合支承结构通廊中的钢筋混凝土支架。

2 8 度Ⅲ、Ⅳ类场地和 9 度时，砖混结构通廊的钢筋混凝土支架。

3 7 度～9 度时，T 形支架等横向稳定性差的钢筋混凝土支架。

4 8 度和 9 度时，跨度大于 24m 的砖混结构通廊的桁架式跨间承重结构。

8.4 钢结构通廊

（Ⅰ）抗震措施鉴定

8.4.1 现有钢结构通廊的抗震鉴定，应根据其设防烈度重点检查下列薄弱部位：

1 6度、7度时，应检查局部易掉落伤人的构件、部件，其中应包括通廊围护结构与主体结构的连接构造，通廊与支承建（构）筑物、毗邻建（构）筑物间结构构件的连接构造。

2 8度、9度时，除应按本条第1款检查外，尚应检查通廊结构的布置和连接构造，其中应包括通廊支架及其支撑系统的布置和连接构造，通廊底板、屋盖结构的布置和连接构造，通廊纵向承重梁（桁架）与支架结构的连接和构造。

8.4.2 钢结构通廊的外观和内在质量，应符合下列规定：

1 支架应无明显歪扭、倾斜。

2 构件连接应无断裂、变形或松动。

3 围护结构构件应无开裂、松动和变形。

4 支架地脚螺栓应无腐蚀、松动或断裂。

8.4.3 A类、B类钢结构通廊支承结构和大梁（桁架）的板件宽厚比，宜分别符合本标准表7.2.2和表7.3.4的规定。支承结构的平腹杆长细比不宜大于150。支架长细比6度、7度时不宜大于250，8度时不宜大于200，9度时不宜大于150。

8.4.4 8度Ⅲ、Ⅳ类场地和9度时，格构式钢支架交叉杆与柱肢相交的节点处应设有横缀板，支架的地脚螺栓应符合本标准第10.4.6条的有关要求。

8.4.5 8度和9度时，通廊大梁（桁架）与其支承结构的连接，应符合下列规定：

1 大梁（桁架）端部底面与支承结构顶面间应牢固连接。

2 大梁或桁架端部为滑动或滚动支座时，应设有防止脱落的措施，桁架端部应形成闭合框架。

8.4.6 钢结构通廊的防震缝，宜符合本标准第8.1.4条的规定。

（Ⅱ）抗震承载力验算

8.4.7 符合抗震措施满足鉴定要求的下列钢结构通廊，可不进行抗震承载能力验算，可直接判定为满足抗震鉴定要求：

1 露天式和半露天式通廊。

2 围护墙和屋盖均为轻质材料的通廊。

8.4.8 下列通廊的结构构件，应按现行国家标准《构筑物抗震设计规范》GB 50191 的抗震分析方法和本标准第 5 章规定进行抗震承载力验算：

1 9 度时，重型通廊的支架。

2 8 度和 9 度时，跨度大于 24m 的重型通廊的桁架式跨间承重结构。

9 筒　仓

9.1 一般规定

9.1.1 本章适用于贮存散状物料的 A、B 类砌体、钢筋混凝土和钢筒仓的抗震鉴定。

9.1.2 筒仓的外观和内在质量，应符合下列规定：

1 钢筋混凝土筒壁和支承结构可仅有微细裂缝，钢筋不应有外露和锈蚀。

2 砌体筒仓的筒壁不应有裂缝、松动和酥碱。

3 钢支承结构和支撑杆件不应有明显变形、锈蚀，地脚螺栓应无松动。

4 筒仓不应有严重倾斜，筒仓高度不超过 20m 时倾斜率不应大于 0.8%。

9.1.3 筒仓的抗震鉴定应包括抗震措施鉴定和抗震承载力验算。当符合抗震措施要求时，可评为满足抗震鉴定要求；不符合时，应根据抗震构造和抗震承载力验算结果，确定采取加固或其他措施。

9.1.4 筒仓抗震鉴定，应重点检查下列结构布置及其构造：

1 筒仓的质量和侧移刚度分布宜均匀对称。

2 筒仓的同一结构单元，应为同一类型的基础，基础标高宜相同。

3 筒仓的防震缝设置应符合下列规定：

1） 钢筋混凝土群仓仓顶局部设有筛分间时，其高差处宜设有防震缝；

2） 筒仓与通廊之间，宜设有防震缝；

3） 高差较大或不规则布置的群仓或排仓，应在相应部位设置防震缝；

4）筒仓与辅助建筑毗邻处应设有防震缝；

5）高度不大于15m的钢筋混凝土和砌体筒仓的防震缝最小宽度不应小于50mm；高度大于15m时，防震缝宽度应按变形分析确定。

4 筒仓结构构件的材料实际达到的强度等级，应符合下列规定：

1）梁、柱的混凝土强度等级不应低于C18，支承筒和基础的混凝土强度等级不应低于C13；

2）砖的强度等级，6度和7度Ⅰ、Ⅱ类场地时，不应低于M2.5，7度Ⅲ、Ⅳ类场地和8度、9度时不应低于M5.0。砖的强度等级不应低于MU7.5，砂浆强度等级不应低于M2.5。

5 仓上建筑应符合下列规定：

1）承重结构为钢筋混凝土或钢框架的仓上建筑，其高度不宜大于8m，框架柱应与下部仓体刚性连接；

2）8度、9度时，仓上建筑不应为砖混结构；6度、7度时，砖混结构仓上建筑的高度不应大于4m，且墙体厚度不应小于190mm；墙体应设有间距不大于6m的构造柱，构造柱下端与仓体、上端与檐口卧梁（圈梁）间应设有可靠连接；

3）8度Ⅲ、Ⅳ类场地和9度时，钢筋混凝土或钢框架结构仓上建筑的围护墙宜为轻质材料；

4）仓上建筑一端封闭另一端敞开时，封闭端墙体应为轻质材料，且与承重结构有可靠拉结。

9.2 砌体筒仓

（Ⅰ）抗震措施鉴定

9.2.1 6度～8度时，砌体筒仓的直径不宜大于8m，且应为筒壁支承结构。9度时不应为砌体筒仓。

9.2.2 仓壁和支承筒壁，均应设有现浇钢筋混凝土圈梁和构造柱。沿筒壁高度设置圈梁的间距，在仓壁部位不宜大于3m，在支承筒壁部位不宜大于4m，且应在仓顶、仓底各设一道圈梁；构造柱的间距不宜大于4m。

9.2.3 钢筋混凝土圈梁的截面宽度宜与筒壁厚相同，高度不宜小于180mm，纵向钢筋不宜少于4ϕ12，箍筋间距不宜大于250mm。构造柱截面不宜小于壁厚，纵向钢筋不宜少于4ϕ12，箍筋间距不宜大于200mm；构造柱的上下端的箍筋宜加密，沿柱高每隔500mm宜设有不少于2ϕ6钢筋与仓壁或支承筒壁砌体拉结，每边伸入砌体的拉结长度不宜小于600mm。

9.2.4 仓壁厚度不宜小于240mm，支承筒壁厚度不宜小于370mm。仓壁与支承筒壁厚度不等时，宜保持内壁平直；仓外台阶处宜采用水泥砂浆找坡。

9.2.5 仓壁和支承筒壁的洞口周边，宜设有钢筋混凝土加强框。

9.2.6 仓底环梁支承于支承筒壁时，筒壁应为环形基础或钢筋混凝土筏基。

9.2.7 筒仓直径大于6m时，仓壁和支承筒壁均宜为配筋砌体。

9.2.8 群仓中相邻筒体宜有可靠连接，砌体应咬槎砌筑，搭接处的厚度不宜小于仓壁厚度的2倍，并宜在连接处配有钢筋。

（Ⅱ）抗震承载力验算

9.2.9 符合本标准第9.1节和第9.2.1～9.2.8条有关抗震措施鉴定要求的下列砌体筒仓，可不进行抗震承载力验算，可直接判定为满足抗震鉴定要求：

1 6度和7度Ⅰ、Ⅱ场地时的砌体筒仓。

2 6度和7度时砌体筒仓上的钢筋混凝土或钢结构仓上建筑。

9.2.10 不符合本标准第9.2.9条规定的砌体筒仓，应按现行国家标准《构筑物抗震设计规范》GB 50191的抗震分析方法和本标准第5章的规定进行抗震承载力验算。

9.3 钢筋混凝土筒仓

（Ⅰ）抗震措施鉴定

9.3.1 钢筋混凝土柱承式筒仓的支柱宜设有横梁，横梁的设置宜按下列规定检查：

1 横梁与柱的线刚度比，不宜小于0.8。

2 横梁顶面至仓壁底面的距离与柱全高之比不宜小于0.3，且不宜大于0.5。

3 横梁截面的高宽比不宜大于4.0。

9.3.2 钢筋混凝土柱承式筒仓支柱的轴压比限值，宜符合表9.3.2的规定。

表 9.3.2 柱承式筒仓支柱的轴压比限值

烈　度	6度	7度	8度	9度
有横梁	0.90	0.85	0.75	0.65
无横梁	0.85	0.80	0.70	0.60

注：1 筒仓地下空间的柱轴压比可增加0.05；
2 混凝土强度等级大于C50时，表中数值可适当提高。

9.3.3 钢筋混凝土柱承式筒仓支柱的纵向钢筋宜为对称配筋，其总配筋率应符合下列规定：

1 纵向钢筋最小总配筋率宜符合表9.3.3的规定。

表 9.3.3 柱承式筒仓支柱的纵向钢筋最小总配筋率（%）

烈　度	6度	7度	8度	9度
有横梁	0.60	0.70	0.80	1.00
无横梁	0.75	0.85	0.95	1.10

2 纵向钢筋总配筋率不宜大于2%。

9.3.4 钢筋混凝土柱承式筒仓支柱的箍筋配置，宜符合下列规定：

1 箍筋间距，6度、7度时不宜大于150mm，8度、9度时不宜大于100mm。

2 箍筋最小直径，6度、7度时不宜小于6mm，8度时不宜小于8mm，9度时不宜小于10mm。

9.3.5 钢筋混凝土柱承式筒仓横梁的纵向钢筋配置，宜按下列规定检查：

1 横梁梁端截面纵向受拉钢筋的配筋率不宜大于2%。

2 横梁梁端截面的底面与顶面纵向钢筋配筋量的比值，7度和8度时不宜小于0.3，9度时不宜小于0.5。

3 横梁顶面和底面通长钢筋不宜少于2ϕ12，8度和9度时底面通长钢筋不宜少于梁端顶面纵向钢筋截面面积的1/4。

9.3.6 钢筋混凝土柱承式筒仓横梁的箍筋配置，宜按下列规定检查：

1 横梁端在梁高的1.5倍范围内的箍筋间距，6度、7度时不宜大于150mm，8度、9度时不宜大于100mm。

2 箍筋最小直径，6度、7度时不宜小于6mm，8度、9度时不宜小于8mm。

9.3.7 钢筋混凝土筒承式筒仓的支承筒壁，应按下列规定检查：

1 筒壁的厚度，6度和7度时不宜小于140mm，8度和9度时不宜小于160mm。

2 筒壁宜为双层双向配筋，竖向或环向钢筋的总配筋率均不宜小于0.4%；内外层钢筋之间应设有拉筋，其直径不宜小于6mm；6度和7度时拉筋间距不宜大于700mm，8度和9度时拉筋间距不宜大于600mm。

3 筒壁在同一水平截面内开洞的总圆心角，6度和7度时不宜大于180°，8度和9度时不宜大于160°。

4 洞口边长不小于1m时，洞口每边设有附加钢筋不宜少于2ϕ16。

5 支承筒壁开洞宽度大于或等于3m时，洞口两侧宜设有壁柱，其截面不宜小于400mm×600mm，柱上端应伸入仓壁中，总的配筋率不宜小于0.6%。

6 相邻洞口间筒壁的宽度不应小于壁厚的3倍，且不宜小于500mm；筒壁宽度为壁厚的3倍～5倍时，宜符合支承柱的钢筋配置规定。

9.3.8 A类、B类筒仓结构单元的支承柱（支承框架）间设有填充墙时，填充墙应分别符合本标准第3.0.13条或第3.0.14条的要求，与柱应有可靠连接，且应对称设置；不应设置半高填充墙。

9.3.9 当相邻的柱承式方仓单元之间采用简支梁上铺板的过渡跨时，简支梁端与其支承牛腿的连接应有防止落梁和碰撞的措施。

9.3.10 8度和9度时，支承于仓上的通廊与筒仓间的抗震构造措施应符合下列规定：

1 当与筒仓相邻的通廊单元中无四柱式框架支架时，宜在通廊大梁（桁架）端部的顶面与相邻支承结构间增设焊接连接的水平薄钢板，其截面面积不应小于原有锚栓的截面面积，焊接连接应满足与连接钢板等强度要求。

2 当相邻的通廊单元为大跨度重型通廊且支承点无本条第3款的较大偏心时，除应按本条第1款要求采取措施外，通廊单元尚应设有四柱式框架的独立支架。

3 大跨度重型通廊纵轴线与筒仓（或仓上建筑）抗侧力结构的刚度中心之间有较大偏心时，除应符合本条第2款要求外，尚应符合下列规定：

1）仓上建筑或仓下支承结构应有较大的扭转刚度；

2）通廊另一端的支承结构应能满足抗震要求。

（Ⅱ）抗震承载力验算

9.3.11 符合本标准第9.1节和第9.3.1～9.3.10条有关抗震措施鉴定要求的钢筋混凝土筒仓的下列部位，可不进行抗震承载力验算：

1 筒仓仓体。

2 符合下列情况的仓下支承结构，可不进行抗震承载力验算：

1）6 度、7 度Ⅰ、Ⅱ类场地时，柱底至仓顶高度不大于 15m 的柱承式方仓的支承柱；

2）6 度、7 度时，柱承式圆筒仓的支承柱；

3）6 度、7 度时，筒承式筒仓的支承筒；

4）8 度时，支承筒壁为双面配筋、壁厚不小于 150mm，且在同一水平截面内的洞口圆心角之和不超过 110°、每个洞口的圆心角不超过 70°的筒承式筒仓的支承筒。

3 符合本标准第 9.1 节规定的下列仓上建筑，可不进行抗震承载力验算：

1）6 度～8 度时，构造柱和圈梁的设置符合要求的砖混结构，钢柱或钢筋混凝土柱下端为刚接的结构；

2）9 度时，钢柱下端为刚接且为轻质材料围护墙的结构。

9.3.12 不符合本标准第 9.3.11 条规定的 A、B 类钢筋混凝土筒仓，应按现行国家标准《构筑物抗震设计规范》GB 50191 的抗震分析方法和本标准第 5 章的规定进行抗震承载力验算。

9.4 钢 筒 仓

（Ⅰ）抗震措施鉴定

9.4.1 柱承式钢筒仓的钢支柱应设柱间支撑，且每个筒仓下不宜少于两道。当柱间支撑分上下两段设置时，上下支撑间应设置刚性水平系杆。

9.4.2 支柱设有柱间支撑时，支撑系统的布置应符合下列规定：

1 柱间支撑应沿柱全高设置。

2 各纵向柱列的柱间支撑侧移刚度应相等。

3 当同一结构单元的同一柱列中有几组柱间支撑时，各组支撑的侧移刚度宜均衡。

4 当沿高度方向设有多层支撑时，上层支撑的侧移刚度不应大于下层支撑的侧移刚度。

5 柱间支撑的斜杆中心线与柱中心线在下节点的交点不宜处于基础顶面以上或混凝土地坪以上。

6 斜撑杆应无初始弯曲。

7 交叉形支撑斜杆的长细比，6 度、7 度时不应大于 250，8 度时不应大于 200，9 度时不应大于 150。

9.4.3 支柱的地脚螺栓和基础，应符合下列规定：

1 8 度和 9 度时，纵向柱间支撑开间的支柱底板下部宜设有与支撑平面相垂直的抗剪键。

2 地脚螺栓宜为双螺帽，并应全部拧紧。

3 地脚螺栓的最小埋置深度，设有锚梁或劲性锚板时不应小于 10 倍的锚栓直径，设有普通锚板时或锚爪时不应小于 15 倍的锚栓直径，直钩式不应小于锚栓直径的 25 倍。

4 螺栓至混凝土基础边缘的距离不应小于 4 倍螺栓直径。

5 混凝土实际强度等级不应低于 C15。

9.4.4 钢结构的仓上建筑，应符合下列规定：

1 仓上建筑钢柱与仓体的连接应为刚性节点。

2 8 度和 9 度时，柱间填充墙宜为轻质材料，并应设有柱间支撑。

9.4.5 A 类、B 类钢筒仓支柱、梁的板件宽厚比限值，应分别符合本标准表 7.2.2 和表 7.3.4 的要求。

9.4.6 相邻钢筒仓结构单元之间或钢筒仓与独立支承的通廊等毗邻结构之间的防震缝，应符合本标准第 9.1.4 条第 3 款的规定，但其最小宽度宜为钢筋混凝土筒仓规定值的 1.5 倍。

（Ⅱ）抗震承载力验算

9.4.7 钢板仓仓体可不进行抗震验算。

9.4.8 6 度和 7 度时，仓下钢支承结构和钢结构仓上建筑，可不进行抗震验算，但应符合本标准第 9.4.1～9.4.6 条有关抗震措施要求。

9.4.9 不符合抗震措施鉴定要求的和柱承式钢筒仓及8度、9度时的仓上建筑，应分别按现行国家标准《构筑物抗震设计规范》GB 50191和《粮食钢板筒仓设计规范》GB 50322的抗震分析方法和本标准第5章的规定进行抗震承载力验算。不满足抗震承载力要求时，应采取相应的加固措施。

9.4.10 8度、9度时，钢筒仓尚应对支柱与基础的锚固进行抗震验算。

10 容器和塔型设备基础结构

10.1 一 般 规 定

10.1.1 本章适用于下列A类、B类容器和塔型设备基础结构的抗震鉴定：

1 钢制卧式容器和卧式冷换类设备的基础结构。

2 常压立式钢制圆筒形储罐基础结构。

3 钢架支承的钢制球形储罐基础结构。

4 一般塔型设备的钢筋混凝土和钢基础结构，以及地面以上总高度不小于10m的立式容器基础结构。

10.1.2 各类设备基础结构的抗震设防分类，均应按现行国家标准《石油化工建(构)筑物抗震设防分类标准》GB 50453的规定确定。

10.2 卧式容器基础结构

（Ⅰ）抗震措施鉴定

10.2.1 卧式冷换类设备的基础结构可不进行抗震承载力验算，但应满足相应的抗震措施要求。

10.2.2 现有卧式容器的基础结构抗震鉴定时，应依据抗震设防烈度和本标准第4章的有关要求，重点检查下列部位和内容：

1 场地稳定性和地基基础现状。

2 基础结构的实际混凝土强度等级。

3 8度、9度时，对T形、Π形或H形等支架式钢筋混凝土基础结构，应按本标准第6.1.3条的有关规定进行检查。

10.2.3 支架式基础结构的梁、柱的抗震构造措施，应符合本标准第6章的有关框架结构的要求。B类设备支架应符合三级框架结构的要求。

10.2.4 现有支墩式容器基础结构的构造措施，应符合下列规定：

1 支墩竖向钢筋直径不宜小于 12mm，间距不宜大于 200mm；横向应配置封闭箍筋，其直径不应小于 8mm，间距不应大于 200mm。

2 9 度时，支墩式基础结构高度不宜大于 1.5m。

3 钢筋混凝土基础结构的混凝土强度等级不应低于 C18，素混凝土基础结构的混凝土强度等级不应低于 C13。

（Ⅱ）抗震承载力验算

10.2.5 8 度、9 度时，卧式容器基础结构应进行抗震承载力验算，其地震作用标准值效应和其他荷载效应的基本组合，可按本标准第 5 章的有关规定确定，水平地震作用标准值可按下式计算：

$$F_{EK} = \alpha_{max}(G_{BK} + 0.5G_{jk}) \qquad (10.2.5)$$

式中：F_{EK}——基础结构的水平地震作用标准值；

α_{max}——水平地震影响系数最大值，可按本标准第 5.2.2 条规定乘以调整系数；

G_{BK}——正常操作状态下容器及介质重力荷载标准值；

G_{jk}——基础底板顶面以上结构构件自重标准值。

10.2.6 卧式容器结构的阻尼比，可采用 0.05。

10.3 常压立式圆筒形储罐基础结构

（Ⅰ）抗震措施鉴定

10.3.1 现有储罐的基础结构抗震鉴定时，应依据其抗震设防烈度和本标准第 4 章的有关要求，重点检查下列部位和内容：

1 护坡式基础结构，应重点检查其场地稳定性、地基基础的现状及护坡的完整性。

2 钢筋混凝土环墙式基础结构，应重点检查其场地稳定性、地基基础的现状、实际的混凝土强度等级；8 度、9 度时，尚应重点检查基础的配筋情况。

10.3.2 不设置地脚螺栓的非桩基基础结构，可不进行抗震验算，但应满足相应的抗震措施要求。

10.3.3 现有储罐基础结构的抗震构造措施，应符合下列规定：

1 护坡式或外环墙式基础结构，在罐壁下部应设有钢筋混凝土构造环梁；采用混凝土或碎石灌浆的护坡时，其厚度不宜小于100mm；采用浆砌毛石护坡时，其厚度不宜小于200mm。

2 钢筋混凝土环墙式基础结构，环墙厚度不宜小于250mm，罐壁至环墙外缘的距离不宜小于100mm。

3 钢筋混凝土环墙式基础结构的配筋，应符合下列规定：

1）环向受力钢筋的截面最小总配筋率，不宜小于0.4%；

2）竖向构造钢筋的截面最小配筋率，每侧不宜小于0.20%，钢筋直径不宜小于12mm，间距不宜大于200mm；

3）公称容量不小于10000m^{3}或建在软土、软硬不均地基上的储罐，其环墙式基础顶部和底部宜各设有两圈附加环向钢筋，直径不宜小于环向受力钢筋直径，竖向钢筋在环墙的上下端宜为封闭式；

4）钢筋混凝土环墙式基础的混凝土强度等级不应低于C18。

（Ⅱ）抗震承载力验算

10.3.4 8度、9度时，设置地脚螺栓的A类、B类储罐基础结构，应分别按现行国家标准《构筑物抗震设计规范》GB 50191的计算方法和本标准第5章的规定验算基础顶部在水平地震作用下螺栓受拉承载力。

10.3.5 储罐地基的变形，应符合现行国家标准《钢制储罐地基基础设计规范》GB 50473的有关规定。

10.3.6 储罐结构的阻尼比，多遇地震时可采用0.05，罕遇地震时可采用0.08。

10.4 球形储罐基础结构

（Ⅰ）抗震措施鉴定

10.4.1 现有球罐基础抗震鉴定时，应依据抗震设防烈度和本标准第4章的有关要求，重点检查下列部位和内容：

1 场地稳定性和地基基础现状。

2 实际的混凝土强度等级。

3 8度、9度时，应检查基础的配筋情况。

10.4.2 6度时，球罐基础可不进行抗震承载力验算，但应满足相应的抗震措施要求。

10.4.3 球罐支柱的基础环梁主筋直径不宜小于12mm；箍筋直径不宜小于8mm，间距不宜大于200mm；底板钢筋直径不宜小于10mm，间距不宜大于200mm。

10.4.4 基础混凝土的强度等级不应低于C18。

10.4.5 地脚螺栓材质宜为Q235B或Q345B级钢。

10.4.6 球罐支柱的地脚螺栓的类型和构造，应符合表10.4.6-1和表10.4.6-2的要求。

表 10.4.6-1 地脚螺栓的类型和埋深

地脚螺栓类型	简 图	直径（mm）	最小埋置深度
直钩式螺栓	找平层 d L_m $4d$	$d \leqslant 32$	$25d$

续表 10.4.6-1

地脚螺栓类型	简　　图	直径（mm）	最小埋置深度
锚爪式螺栓	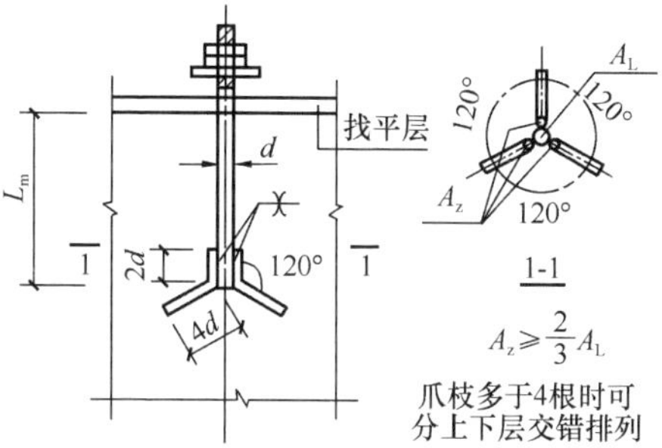找平层 d L_m 2d 120° 4d 1 A_L 120° 120° A_z 1-1 $A_z \geqslant \frac{2}{3}A_L$ 爪枝多于4根时可 分上下层交错排列	$d \leqslant 56$	$15d$
加劲锚板式螺栓	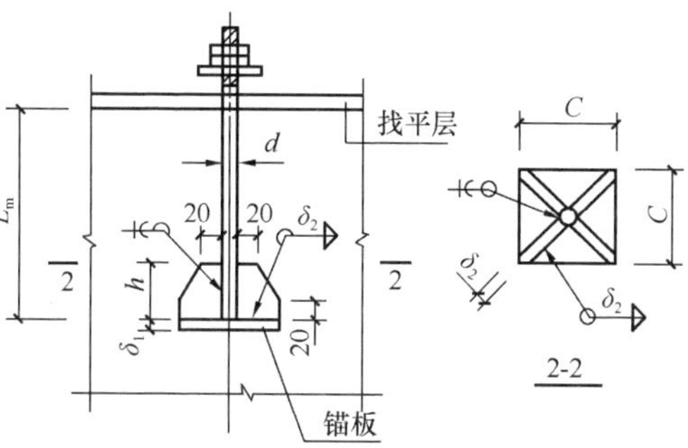找平层 d L_m 20 20 δ_2 h δ_1 20 2 锚板 C C δ_2 δ_2 2-2	$d \leqslant 32$	$15d$
		$d > 32$	$20d$

注：1　d 为地脚螺栓直径（mm），L_m 为地脚螺栓最小埋置深度（mm），A_L 为地脚螺栓截面面积（mm^2），A_z 为螺栓爪枝总截面面积（mm^2），δ_1 为锚板厚度（mm），δ_2 为肋板厚度（mm），C 为锚板边长（mm），h 为肋板高度（mm）。

2　地脚螺栓的最小埋置深度，直钩螺栓不宜小于 $30d$；爪式螺栓不宜小于 $18d$；加劲锚板式螺栓，当 $d \leqslant 32$mm 时不宜小于 $18d$，当 $d > 32$mm 时不宜小于 $23d$。地脚螺栓的露头、螺纹长度应根据设备的要求确定。

3　表中所列地脚螺栓材质为 Q235 钢。当材质为 Q345 钢时，最小埋置深度应增加 $5d$。

表 10.4.6-2　锚板及加劲肋尺寸（mm）

地脚螺栓直径 d	锚板及加劲肋尺寸			
	C	δ_1	δ_2	h
30	120	10	8	80
32	130	12	8	90
36	140	12	8	100
42	140	14	8	100
48	180	16	10	130
52	200	20	10	140
56	200	20	10	140
64	240	25	10	160

（Ⅱ）抗震承载力验算

10.4.7　球罐结构的基本自振周期，可按现行国家标准《构筑物抗震设计规范》GB 50191 的有关规定计算。

10.4.8　7 度、9 度时，球罐基础结构构件，应按现行国家标准《构筑物抗震设计规范》GB 50191 的抗震分析方法和本标准第 5 章的规定进行抗震承载力验算。

10.4.9　球罐结构的阻尼比，可采用 0.035。

10.5　塔型设备基础结构

（Ⅰ）抗震措施鉴定

10.5.1　现有塔型设备基础结构的抗震鉴定时，应根据抗震设防烈度和本标准第 4 章的有关规定，重点检查下列部位和内容：

1　场地稳定性和地基基础现状。

2　实际的混凝土强度等级。

3　基础结构的配筋情况。

10.5.2　6 度和 7 度时，塔型设备的基础结构可不进行抗震验算，但应满足相应的抗震措施要求：

1 Ⅰ、Ⅱ类场地的圆筒（柱）式基础结构。

2 Ⅰ、Ⅱ类场地，且基本风压不小于 0.40kN/m^2 时的框架式基础结构。

3 Ⅲ、Ⅳ类场地，且基本风压不小于 0.70kN/m^2 时的框架式基础结构。

10.5.3 8 度和 9 度时，框架式基础结构的抗震验算应计入竖向地震作用效应；水平地震作用和竖向地震作用应按本标准第 5 章规定计算。塔型设备的等效总重力荷载，应取正常操作状态下的重力荷载代表值。

10.5.4 圆筒式基础结构的筒壁厚度，不应小于塔的裙座底环板的宽度，且不宜小于 300mm。

10.5.5 圆筒式基础结构的筒壁，应为双层配筋；圆柱式基础结构的圆柱，可为单层配筋，纵向钢筋的间距不应大于 200mm。圆筒或圆柱高度不大于 2m 时，纵向钢筋直径不应小于 10mm；高度大于 2m 时，纵向钢筋直径不应小于 12mm。基础底板受力钢筋直径不应小于 10mm，间距不应大于 200mm；构造钢筋直径不应小于 8mm，间距不应大于 250mm。

10.5.6 塔基础结构的混凝土强度等级，不应低于 C18。

10.5.7 钢筋混凝土框架式基础结构的抗震鉴定，尚应符合本标准第 6.3 节有关框架的规定。钢框架式基础结构的抗震鉴定，尚应符合本标准第 7.3 节的有关规定。

10.5.8 框架式基础结构为每柱独立基础时，8 度Ⅲ、Ⅳ类场地和 9 度时的基础应设有连梁，方形框架应在纵横两个方向设有基础连梁，环形框架应沿环向设有基础连梁。

10.5.9 塔型设备的钢筋混凝土框架式基础结构的抗震构造措施，应按本标准表 6.3.1 框架结构规定的抗震等级提高一级核查，但最高应为一级。

10.5.10 圆筒（柱）式基础结构上固定塔型设备的地脚螺栓，其锚固长度不应小于表 10.5.10 的规定。

表 10.5.10　地脚螺栓锚固长度

钢材牌号	地脚螺栓锚固形式	
	直钩式	锚板式
Q235	$25d$	$17d$
Q345	$30d$	$20d$

注：d 为地脚螺栓直径。

（Ⅱ）抗震承载力验算

10.5.11　圆筒（柱）式基础结构的地脚螺栓周围受力钢筋的箍筋间距，不宜大于 100mm。

10.5.12　塔型设备基础结构的基本自振周期的计算，应符合下列规定：

1　塔体壁厚不大于 30mm 的圆筒式、圆柱式基础结构，可按下列公式计算：

$h^2/d<700$ 时：

$$T_1=0.35+0.85\times10^{-3}h^2/d \qquad (10.5.12\text{-}1)$$

$h^2/d\geqslant700$ 时：

$$T=0.25+0.99\times10^{-3}h^2/d \qquad (10.5.12\text{-}2)$$

式中：T——塔型设备基础结构的基本自振周期（s）；

d——塔型设备的外径（m）；

h——基础底板顶面至塔型设备顶面的总高度（m）。

2　塔体壁厚不大于 30mm 的框架式基础结构的基本自振周期，可按下式计算：

$$T=0.56+0.40\times10^{-3}h^2/d \qquad (10.5.12\text{-}3)$$

3　塔体壁厚大于 30mm 的基础结构的基本自振周期，可按有关理论方法计算。

4　当数个塔型设备通过联合平台组成一排时，垂直于排列方向的基本自振周期，可采用主塔（周期最长者）的基本自振周期；平行于排列方向的基本自振周期，可取主塔的基本自振周期乘以折减系数 0.9。

5 按本标准公式（10.5.12-1）～公式（10.5.12-3）计算的基本自振周期，应乘以周期加长系数 1.15。采用理论公式计算时，应乘以周期加长系数 1.05。

10.5.13 计算基础结构的地震作用时，等效重力荷载或重力荷载代表值均应按正常生产工况计算。

10.5.14 塔型设备基础结构构件，应按现行国家标准《构筑物抗震设计规范》GB 50191 的抗震分析方法和本标准第 5 章的规定进行抗震承载力验算，计算时可变荷载中操作介质重力荷载分项系数可采用 1.3，B 类塔的钢筋混凝土框架式基础结构构件组合内力设计值应按本标准附录 D 的规定进行调整，A 类塔的结构构件组合内力设计值可不作调整。

10.5.15 塔基础结构的阻尼比，可采用 0.03。

11 支架及构架

11.1 一般规定

11.1.1 本章适用于下列支架和构架的抗震鉴定：

1 独立式管道支架、组合式管道支架。

2 35kV～500kV 室外变电所的变电构架、支架。

3 单线、双线循环式货运索道支架和单线循环式、双线往复式客运索道支架。

4 移动通信工程自立式钢塔架和桅杆结构。

11.1.2 330kV～500kV 变电站和 220kV 重要枢纽变电站的变电构架或支架，应按乙类构筑物进行抗震鉴定，其鉴定方法应进行专门研究。

11.2 管道支架

（Ⅰ）抗震措施鉴定

11.2.1 现有钢筋混凝土或钢支架的抗震鉴定，应根据其抗震设防烈度重点检查下列薄弱部位：

1 6 度、7 度时，应检查局部易掉落伤人的构件、部件，其中应包括管道与支架的连接构造、非结构构件与支架的连接构造。

2 8 度、9 度时，除应按本条第 1 款检查外，尚应检查管道支架结构系统的布置及构件连接构造，以及纵向承重梁（桁架）与支架结构的连接与构造。

11.2.2 钢筋混凝土支架的外观和内在质量，应符合下列规定：

1 支架应无明显歪扭、倾斜，构件连接应无明显裂缝和松动。

2 承重构件可仅有少量微小裂缝或局部剥落，钢筋应无外露和锈蚀。

11.2.3 钢支架的外观和内在质量，应符合下列规定：

1 支架应无明显歪扭、倾斜。

2 钢材表面应无明显腐蚀，构件连接应无断裂、变形或松动。

11.2.4 钢筋混凝土管道支架的抗震措施，应符合下列规定：

1 支架的混凝土强度等级，A类支架6度、7度时不应低于C13，8度、9度时不应低于C18；B类支架不应低于C20。

2 支架柱的最小截面尺寸不宜小于250mm，支架梁的最小截面尺寸不宜小于200mm。

3 A类支架的抗震构造措施应符合本标准第6.2节有关框架结构的要求。

4 B类固定支架和输送易燃、易炸、剧毒介质的支架，应符合本标准第6.3节有关三级框架结构的要求，其他支架应符合四级框架结构的要求。

5 敷设于支架顶层横梁上的外侧管道应设有防止落管的措施。

6 管廊式支架在直线段上应设有柱间支撑和水平支撑。

7 8度、9度时，活动支架不宜为半铰接支架。

8 输送易燃、易炸、高温、高压介质的管道固定支架，宜为四柱式框架结构。

11.2.5 钢支架柱的长细比宜符合表11.2.5-1的要求；钢支架板件的宽厚比限值宜符合表11.2.5-2的要求。

表11.2.5-1 钢支架柱的长细比限值

类型		6度、7度	8度	9度
固定支架和刚性支架		150		120
柔性支架		200		
支撑	按拉杆设计	300	250	200
	按压杆设计	200	150	150

表 11.2.5-2 钢支架板件的宽厚比限值

板件名称	6度、7度	8度	9度
工字形截面翼缘外伸部分	13	11	10
圆管外径与壁厚比	60	55	50

11.2.6 8度、9度时，四柱式钢固定支架在直接支承管道的横梁平面内宜设有与四柱相连的水平支撑；当支架较高时，尚宜在支架中部设有水平支撑。

（Ⅱ）抗震承载力验算

11.2.7 6度、7度时，满足抗震措施要求的管道支架，可不进行抗震验算，可直接判定为满足抗震鉴定要求。

11.2.8 8度、9度时，管道支架应按现行国家标准《构筑物抗震设计规范》GB 50191的分析方法和本标准第5章的规定进行抗震承载力验算，计算时构件组合内力设计值可不作调整。

11.3 变电构架和支架

11.3.1 现有变电构架或支架的抗震鉴定，应重点检查梁柱节点的构造和质量、柱脚和基础的连接、支撑杆件的设置、避雷针针杆与支架的连接、主变压器基础台的宽度，以及支承柱纵横向柱间支撑和支架上部设备固定的构造措施。

11.3.2 变电构架或支架的外观和内在质量，应符合下列规定：

1 钢筋混凝土构架或支架的构件及其节点，可仅有少量微小裂缝或局部剥落，钢筋应无外露、锈蚀。

2 钢构架或支架的构件及其节点可仅有少量微小损伤，钢材表面应无严重锈蚀，构件连接应无断裂、变形或松动。

3 主体结构应无明显变形、倾斜或歪扭。

11.3.3 变电构架或支架的抗震鉴定，当符合抗震措施鉴定的各项要求时，可评为满足抗震鉴定要求，不再进行抗震承载力验算；当不符合抗震措施鉴定要求时，应通过抗震承载力验算结果作出判断。

（Ⅰ）抗震措施鉴定

11.3.4 变电构架或支架的结构形式，应符合下列规定：

1 预制钢筋混凝土人字形构架，其弦杆和腹杆的尺寸均不应小于 100mm。

2 8 度Ⅲ、Ⅳ类场地和 9 度时，同一组设备的三根独立柱宜用型钢杆件连成整体。

3 7 度～9 度液化土地基上的变电构架或支架，宜设置拉索，其拉索下固定端宜设在非液化土中。

4 架空式电气设备的下部应通过螺栓连接固定在构架或支架的横梁上。

5 钢构架或支架应为框架式结构。

11.3.5 钢筋混凝土变电构架或支架的连接和构造措施，应按下列规定检查：

1 混凝土的强度等级，不应低于 C18。

2 A 类变电构架或支架的抗震构造措施鉴定，应符合本标准第 6.2 节有关框架结构的要求。

3 B 类变电构架或支架的抗震构造措施鉴定，应符合本标准第 6.3 节有关三级框架结构的要求。

4 构架或支架柱的净高与截面高度之比不应小于 4。

11.3.6 钢变电构架或支架的连接和构造措施，应按下列规定检查：

1 8 度和 9 度时，纵向柱间支撑的钢柱底部，宜设有与支撑平面相垂直的抗剪键。

2 地脚螺栓宜设有刚性锚板或锚梁，并宜采用双螺帽固定，锚固深度不宜小于螺栓直径的 15 倍。

3 构架或支架的构件长细比和板件宽厚比限值，应符合本标准第 11.2.5 条的有关规定。

11.3.7 变电构架或支架符合本标准第 11.3.1～11.3.6 条的各

项要求时，可评为综合抗震能力满足要求；当遇下列情况之一时，应评为综合抗震能力不满足抗震要求，并应根据抗震验算结果确定其加固或其他相应措施：

1 梁、柱、支撑等节点构造均不符合要求。

2 本标准第 11.3.1～11.3.6 条的其他规定有多项不符合要求。

（Ⅱ）抗震承载力验算

11.3.8 变电构架或支架符合下列条件之一时，可不进行抗震承载力验算，但应满足相应的抗震措施要求：

1 6 度。

2 7 度和 8 度Ⅰ、Ⅱ类场地的钢构架或支架。

3 7 度Ⅰ、Ⅱ类场地且基本风压不小于 $0.4kN/m^2$，7 度Ⅲ、Ⅳ类场地且基本风压不小于 $0.7kN/m^2$ 的钢筋混凝土构架或支架。

11.3.9 变电构架或支架的抗震验算，应按现行国家标准《电力设施抗震设计规范》GB 50260 的抗震分析方法和本标准第 5 章的有关规定进行抗震承载力验算。计算时 B 类钢筋混凝土变电构架或支架的构件组合内力设计值应按本标准附录 D 进行调整，A 类钢筋混凝土构架或支架及钢变电构架或支架构件组合内力设计值可不作调整。经抗震验算不满足要求时，应采取加固或其他相应措施。

11.4 索道支架

（Ⅰ）抗震措施鉴定

11.4.1 现有索道支架的抗震鉴定，应重点检查下列内容：

1 索道支架所在场地对其抗震的不利影响。

2 地基基础的抗震稳定性。

3 索道支架柱脚连接构造。

4 索道支架结构形式及连接构造。

5 索道运行的平稳性。

11.4.2 索道支架的外观和内在质量，应符合下列规定：

1 地基基础应无明显滑移、变形迹象。

2 索道支架柱脚连接应无变形、松动痕迹。

3 支架应无明显歪扭、倾斜，轿（车）厢通过支架时运行应平稳、顺畅。

4 钢材表面应无明显腐蚀、削弱，构件连接应无断裂、变形或松动。

5 钢筋混凝土构件应无腐蚀、开裂，钢筋应无外露和锈蚀。

11.4.3 7度～9度时，钢支架立柱的长细比不宜大于60，腹杆的长细比不宜大于80。6度时，钢支架各杆件的长细比均不宜大于120。

11.4.4 格构式钢支架的横隔设置，应符合下列规定：

1 支架坡度改变处，应设有横隔。

2 8度时，横隔间距不应大于2个节间的高度，且不应大于12m；9度时，横隔间距不应大于1个节间的高度，且不应大于6m。

11.4.5 支架高度大于15m或8度Ⅲ、Ⅳ类场地和9度时，不宜为钢筋混凝土结构。

11.4.6 钢筋混凝土单柱支架，应符合下列规定：

1 混凝土强度等级，不宜低于C30。

2 6度、7度和8度Ⅰ、Ⅱ类场地，且支架高度不大于10m时，单柱支架的抗震构造措施应符合本标准表6.3.1有关框架抗震等级二级的要求。

3 8度Ⅰ、Ⅱ类且支架高度为10m～15m时，单柱支架的抗震构造措施应符合本标准表6.3.1有关框架抗震等级一级的要求。

4 6度、7度和8度Ⅰ、Ⅱ类场地时，钢筋混凝土支架柱的箍筋宜全高加密。

（Ⅱ）抗震承载力验算

11.4.7 6度、7度时，满足抗震措施鉴定要求的索道支架，可不进行抗震承载能力验算，可直接判定为满足抗震鉴定要求。

11.4.8 8度、9度时，索道支架应按现行国家标准《构筑物抗震设计规范》GB 50191的抗震分析方法和本标准第5章的规定进行抗震承载力验算，计算时构件组合内力设计值可不作调整。

11.5 通信钢塔桅结构

（Ⅰ）抗震措施鉴定

11.5.1 钢塔桅结构的外观和内在质量，应符合下列规定：

1 钢塔桅结构不应有明显的倾斜，构件应无弯曲等。自立式塔架中心整体垂直度偏差不应大于1/1500，单管塔和桅杆不得大于1/750。

2 结构构件应无严重锈蚀。已锈蚀构件应通过取样检测实际截面尺寸，其承载力降低不应超过原设计的10%。

11.5.2 6度～9度时，钢塔桅结构应符合下列规定：

1 塔桅结构构件长细比，应符合表11.5.2的要求。

表11.5.2 通信钢塔桅结构构件长细比限值

构件类型		长细比
按拉杆设计		350
按压杆设计	弦杆	150
	斜杆、横杆	180
	辅助杆	200
桅杆两相邻纤绳结点间的杆身	格构式桅杆（换算长细比）	100
	实腹式桅杆	150

2 节点连接，应符合下列规定：

1）连接板连接的节点，其板面贴合率不应低于75%；

2）法兰连接的节点，法兰接触面的贴合率不应低于75%，且边缘最大间隙不应大于1.5mm；

3）位于振动部位的螺栓均应有可靠的防松措施；

4）焊缝外观质量应无裂纹等缺陷；

5）柱脚基础二次浇灌层应结合密实，地脚锚栓间距不宜小于锚栓直径的4倍，锚栓直径和最小埋置深度应符合本标准第10.4.6条的要求。

3 桅杆拉线应对称、均匀，预紧力应符合设计要求，拉线与拉耳和线夹应连接牢固。

4 塔桅结构的地基基础，应符合本标准第4章的有关规定。

（Ⅱ）抗震承载力验算

11.5.3 6度～8度时，符合本节抗震措施要求的钢塔塔桅结构可抗震承载力验算。

11.5.4 塔桅结构进行抗震承载力验算时，应符合下列规定：

1 塔桅结构的抗震验算，可采用振型分解反应谱法或底部剪力法，其阻尼比可取0.03。

2 地震作用计算时，重力荷载代表值应取结构自重标准值和各竖向可变荷载组合值之和，结构自重和各竖向可变荷载组合值系数应按下列规定采用：

1）结构自重（结构和构配件自重、固定设备自重等）应取1.0；

2）平台活荷载可取0.5；

3）平台雪荷载可取0.5；

4）雪荷载与活荷载可不重复计入，应取其大者计算。

3 9度时的钢塔桅结构，应同时计入竖向和水平地震作用的不利组合。

4 A、B类塔桅结构应分别按本标准第5章的规定对地震影响系数进行调整，但构件组合内力设计值可不作调整。

5 建在屋顶上的塔桅结构，其水平地震作用效应应乘以增大系数1.5～2.5，或按楼面反应谱或按整体结构模型进行抗震分析。

12 锅炉钢结构

12.1 一 般 规 定

12.1.1 本章适用于支承式和悬吊式锅炉钢结构的抗震鉴定。

12.1.2 锅炉钢结构抗震鉴定时，应重点检查下列薄弱部位：

1 设有重型炉墙或金属框架护板轻型炉墙的支承式锅炉结构，其框架梁柱的刚性连接或护板与柱梁的连接应完整可靠。

2 悬吊式锅炉钢结构的水平支撑和垂直支撑体系应完整、布置合理。

3 锅炉钢结构与相邻建（构）筑物之间的防震缝设置应满足抗震要求。

4 水平支撑标高与锅炉导向装置标高应一致。

5 锅炉导向装置传力系统（包括锅筒导向装置）应完好无损。

6 炉体的水平地震作用应通过水平支撑直接传到垂直支撑上。

7 悬吊锅炉的止晃装置应完好无损。

8 梁柱和支撑节点应无断裂或松动。

12.1.3 锅炉钢结构的外观和内在质量，应符合下列规定：

1 结构构件应无严重变形或缺损。

2 构件连接焊缝和高强度螺栓应无开裂或松动。

3 构件表面应无严重锈蚀和损伤。

4 承重结构应无不均匀沉降。

5 支撑构件应无缺失或严重变形。

6 导向装置应无明显变形。

12.1.4 锅炉钢结构的抗震鉴定，可分为抗震措施鉴定和抗震承载力验算。当符合本标准第12.2.1～12.2.9条的各项规定时，可评为满足抗震鉴定要求；当不符合规定时，可根据抗震措施和抗震承载力不符合的程度通过综合分析确定采取加固或其他相应措施。

12.1.5 关键薄弱部位不符合要求时，应采取加固或改造处理；一般部位不符合要求时，可根据不符合的程度和影响的范围，提出相应对策。

12.1.6 锅炉钢结构的抗震鉴定，应根据原设计的完整资料，结合结构布置、锅炉运行和结构实际情况，分别进行主体结构、构件及其节点的计算分析。对于特别重要的受力构件，应进行无损探伤等检验。

12.2 抗震措施鉴定

12.2.1 锅炉钢结构与主厂房结构宜分开布置，8 度和 9 度时应分开布置。与锅炉钢结构贴建的厂房，应设防震缝，防震缝的宽度宜按现行国家标准《构筑物抗震设计规范》GB 50191 的有关规定执行。

12.2.2 锅炉钢结构与主厂房结构之间设置的连通平台等，宜为一端固定、一端滑动的连接方式。滑动端的搁置长度宜适当加长，并应有防止滑落的措施。

12.2.3 锅炉钢结构的主柱长细比、柱和梁板件宽厚比、支撑杆件的长细比、支撑板件的宽厚比等的限值，宜符合现行国家标准《构筑物抗震设计规范》GB 50191 的有关规定。

12.2.4 8 度Ⅲ、Ⅳ类场地和 9 度时的锅炉钢结构，梁与柱的连接不宜为铰接。

12.2.5 锅炉钢结构宜为埋入式柱脚，埋入深度宜符合现行国家标准《构筑物抗震设计规范》GB 50191 的有关规定。

12.2.6 铰接柱脚底板的地震剪力应由底板和混凝土基础间的摩擦力承担，其摩擦系数可取 0.4。地震剪力超过摩擦力时，在柱底板下部宜设置抗剪键，抗剪键可按悬臂构件计算其厚度和根部焊缝。铰接柱的地脚螺栓，应采用双螺帽固定；地脚螺栓的数量和直径应按作用在基础上的净上拔力确定，但不应少于 4M30。地脚螺栓的材料可为 Q235 或 Q345 钢。

12.2.7 梁通过悬臂梁段与柱刚性连接时，悬臂梁段与柱应为全焊透焊接连接。梁的现场拼接，可采用翼缘全焊透焊接、腹板为高强度螺栓连接或全部采用高强度螺栓连接。

12.2.8 梁与柱为刚接连接时，柱在梁翼缘对应位置应设有横向加劲肋，加劲肋的板厚不宜小于梁翼缘厚度。

12.2.9 垂直支撑与柱（梁）为节点板连接时，节点板在支撑杆每侧的夹角不应小于 30°；沿支撑方向，杆端至节点板最近嵌固点的距离，不宜小于节点板厚度的 2 倍。

12.3 抗震承载力验算

12.3.1 6 度时的锅炉钢结构可不进行抗震验算，但其节点承载力宜适当提高。

12.3.2 锅炉钢结构的抗震验算，可不计及地基与结构相互作用的影响。

12.3.3 锅炉钢结构的抗震验算，可采用底部剪力法；当结构总高度超过 65m 时，宜采用振型分解反应谱法。

12.3.4 锅炉钢结构应按现行国家标准《构筑物抗震设计规范》GB 50191 的方法和本标准第 5 章的规定进行抗震承载力验算。

12.3.5 锅炉钢结构的基本自振周期，可按下式计算：

$$T = C_t H^{3/4} \tag{12.3.5}$$

式中：T——结构基本自振周期（s）；

C_t——结构影响系数，对框架体系可取 0.0853，对桁架体系可取 0.0488；

H——锅炉钢结构的总高度（m）。

12.3.6 锅炉钢结构在多遇地震下的阻尼比，对于单机容量小于 25MW 的轻型或重型炉墙锅炉可采用 0.05；对于单机容量不大于 200MW 的悬吊式锅炉可采用 0.04；对于大于 200MW 的悬吊锅炉可采用 0.03；罕遇地震下的阻尼比均可采用 0.05。

12.3.7 锅炉钢结构按底部剪力法多质点体系计算时，其结构类型指数可按现行国家标准《构筑物抗震设计规范》GB 50191 的有关规定取值。

12.3.8 锅炉钢结构按现行国家标准《构筑物抗震设计规范》GB 50191 底部剪力法计算结构总水平地震作用标准值时，结构基本振型指数可按剪弯型结构取值。

12.3.9 计算地震作用时，重力荷载代表值应取永久荷载标准值和各可变荷载组合值之和，可变荷载的组合值系数应按表12.3.9采用。

表 12.3.9 可变荷载的组合值系数

可变荷载种类	组合值系数
雪荷载	0.5
结构各层的活荷载	0.5
屋面活荷载	不计入

12.3.10 有导向装置的悬吊式锅炉，通过导向装置作用于锅炉钢结构上的水平地震作用，可按现行国家标准《构筑物抗震设计规范》GB 50191 的有关规定计算。

12.3.11 悬吊式锅筒的水平地震作用标准值，可采用与炉体相同的方法计算。

12.3.12 对于单机容量 200MW 及其以下且无导向装置的悬吊式锅炉，锅炉钢结构采用底部剪力法进行水平地震作用计算时，可按现行国家标准《构筑物抗震设计规范》GB 50191 的有关规定计算。炉体及锅筒的地震作用只作用在锅炉钢结构的顶部，其多遇地震的水平地震影响系数，可按现行国家标准《构筑物抗震设计规范》GB 50191 的有关规定采用，但宜按本标准第 5.2.2 条的规定乘以调整系数。

12.3.13 抗震验算时，锅炉钢结构任一计算平面上的水平地震剪力，应符合现行国家标准《构筑物抗震设计规范》GB 50191 的有关规定。

12.3.14 9度时且高度大于100m的锅炉钢结构，应按现行国家标准《构筑物抗震设计规范》GB 50191的有关规定计算竖向地震作用，其竖向地震作用效应应乘以增大系数1.5。竖向地震影响系数最大值可按本标准第5.2.2条的规定乘以调整系数。

12.3.15 8度和9度时，跨度大于24m的桁架（或大梁）和长悬臂结构，应计算竖向地震作用。但竖向地震作用系数可按本标准第5.2.2条的规定乘以调整系数。

12.3.16 锅炉钢结构构件截面抗震验算，应符合现行国家标准《构筑物抗震设计规范》GB 50191的有关规定。重力荷载分项系数应取1.35；当重力荷载效应对构件承载能力有利时，可取1.0；风荷载分项系数，应取1.35；风荷载组合值系数，可取0，风荷载起控制作用且结构高度大于100m或高宽比不小于5时，可取0.2。

12.3.17 锅炉钢结构构件承载力抗震调整系数，除梁柱应采用0.8外，其他构件及其连接均应按现行国家标准《构筑物抗震设计规范》GB 50191的规定取值。

12.3.18 锅炉钢结构的导向装置，应按多遇地震作用下验算其强度，并应具有足够的刚度。其地震影响系数可按本标准第5.2.2条规定乘以调整系数。

12.3.19 结构布置不规则且有薄弱层，或高度大于150m及9度时的乙类锅炉钢结构，应进行罕遇地震作用下的弹塑性变形分析。罕遇地震的地震影响系数可按本标准第5.2.2条规定进行调整。

12.3.20 经验算不满足抗震承载力要求时，应采取加固或改造等措施。

13 井　　塔

13.1 一般规定

13.1.1 本章适用于钢筋混凝土井塔、钢井塔的抗震鉴定。B类井塔抗震鉴定时，井塔的高度不宜超过表13.1.1的限值。超出限值时，应专门研究其鉴定方法。

表13.1.1 井塔最大高度限值（m）

结构类型		烈度			
		6度	7度	8度	9度
钢筋混凝土井塔	框架型	70	50	40	—
	箱（筒）型	不限	100	80	60
钢井塔	框架	不限	100	80	50
	框架-支撑	不限	不限	100	80

注：井塔高度系指室外地面到屋面板板顶的高度（不包括局部突出屋顶部分）。

13.1.2 现有井塔的抗震鉴定，应依据其结构类型和设防烈度重点检查下列部位和内容：

1 6度时，应检查局部易掉落伤人的构件以及非结构构件的连接构造，悬挑结构布置和悬挑长度，与贴建的建（构）筑物之间的防震缝宽度。

2 7度时，除应符合本条第1款要求外，尚应检查结构构件的连接方式和结构之间的连接构造。

3 8度、9度时，除应符合本条第1、2款要求外，对钢筋混凝土井塔尚应检查梁、柱、剪力墙、筒壁、悬挑、洞口等构件的配筋和构造，材料强度，各构件间的连接和节点构造，井塔结构和洞口的布置，荷载的大小和分布等；对钢井塔尚应检查梁、柱、支撑、悬挑结构等构件的尺寸和构造，材料强度，各构件间的连接，井塔结构和支撑布置，主要构件的长细比，荷载的大小和分布等。

13.1.3 井塔的外观和内在质量，应符合下列规定：

1 钢筋混凝土井塔的构件及其节点的混凝土可仅有少量微小裂缝或局部剥落，钢筋应无外露、锈蚀。钢井塔的构件及其节点可仅有轻微损伤和锈蚀。

2 填充墙宜无明显开裂或与结构脱开。

3 主体结构构件应无明显变形、倾斜或歪扭。

13.1.4 现有井塔的抗震鉴定，应按结构体系的合理性、结构构件材料的实际强度、结构构件的布置和构件连接的可靠性、填充墙等与主体结构的拉结构造，以及构件抗震承载力的综合分析，对井塔的抗震能力进行评定。

当钢筋混凝土井塔的梁、柱、抗震墙、筒壁等构件或节点构造不符合规定时，应评为不满足抗震鉴定要求；当仅有填充墙或屋盖结构不符合规定时，可评为局部不满足抗震鉴定要求。

13.1.5 A类井塔的抗震鉴定，应进行综合抗震能力两级鉴定。当符合第一级鉴定的各项要求时，除9度外应允许不进行抗震验算而评为满足抗震鉴定要求；不符合第一级鉴定要求和9度时，除本标准有明确的规定外，应通过第二级鉴定作出判断。

B类钢筋混凝土井塔的抗震鉴定，应通过其抗震措施检查和现有抗震承载力验算结果作出判断。当钢筋混凝土框架型井塔抗震措施不满足鉴定要求而现有抗震承载力较高时，可按本标准第6.2节规定通过构造影响系数进行综合抗震能力评定；当满足抗震措施鉴定要求时，其主要抗倾力构件的抗震承载力不低于规定的95%，次要抗倾力构件的抗震承载力不低于规定的90%时，可不进行加固处理，但应提出维修建议。

B类钢井塔，应通过其抗震措施检查和现有抗震承载力验算结果作出判断。当抗震措施不满足鉴定要求而现有抗震承载力满足要求时，可采取局部加固措施；当抗震措施和抗震承载力均不满足鉴定要求时，应采取全面加固处理。

13.2 A类井塔抗震鉴定

（Ⅰ）第一级鉴定

13.2.1 现有A类井塔的结构体系，应符合下列规定：

1 平面布置宜规则、对称。

2 井塔平面内质量分布和抗侧力构件的布置宜均匀、对称。

3 竖向结构布置宜上下一致。

4 钢筋混凝土箱（筒）型结构的筒壁应为双向均匀布置，每侧筒壁上下宜连续布置。

5 钢框架-支撑体系的支撑宜为中心支撑，支撑应双向对称设置，竖向宜连续布置。

6 井塔的各层楼板宜为现浇钢筋混凝土结构。

13.2.2 梁、柱、筒壁实际达到的混凝土强度等级，6度、7度时不应低于C13，8度、9度时不应低于C18。

13.2.3 钢筋混凝土箱（筒）型井塔的构造措施，应按下列规定检查：

1 筒壁厚度不宜小于200mm；相邻层筒壁厚度之差不宜超过较小壁厚的1/3。

2 筒壁洞口宜布置在筒壁中间部位，洞口的宽度不宜大于筒壁宽度的1/3。

3 当筒壁洞口宽度大于4m或大于1/3筒壁宽度时，洞口两侧宜设有贯通全层的竖向加强肋；加强肋中竖向钢筋两端伸入楼板（基础）中的锚固长度，不宜小于30倍竖向钢筋直径；洞口上部宜设有连梁，连梁应符合框架梁的配筋要求。

4 筒壁宜为双层配筋，竖向钢筋直径不宜小于10mm，间距不宜大于250mm；横向钢筋直径不宜小于6mm，间距不宜大于250mm。

5 矩形平面井塔的筒壁内侧转角，宜为八字角。

6 筒壁洞口高度和宽度均不大于1.0m时，洞口每侧竖向加强钢筋不宜少于4ϕ14；洞口转角处的斜向钢筋，不宜少于2ϕ12，且伸过洞口边的锚固长度不宜小于30倍斜向钢筋直径。洞口高度和宽度均大于1.0m时，洞口两侧宜设有边缘构件，洞口上下宜设有连梁。

13.2.4 钢筋混凝土框架型井塔和提升机层框架结构的构造措施，应符合本标准第6.2节有关A类框架结构的要求。

13.2.5 提升机层若为悬挑结构，6度时，悬挑长度不宜超过5.5m，7度、8度时不宜超过4.5m，并宜对称布置；9度时，不宜为悬挑结构。

13.2.6 井颈基础的混凝土强度等级不宜低于C18；基础受压区的钢筋，直径不宜小于16mm，间距不宜大于250mm；环向受拉钢筋接头宜为焊接或机械连接；地下井筒的竖向钢筋应与井颈基础的竖向钢筋焊接连接。

13.2.7 井塔与贴建的建（构）筑物之间应设防震缝，钢筋混凝土井塔的防震缝的宽度不宜小于70mm；钢井塔不宜小于100mm。

13.2.8 8度Ⅲ、Ⅳ类场地和9度的天然地基上井塔的罐道钢套架，当其底层柱上端与井塔构件连接、下端与井塔基础连接时，套架柱应设有可活动的接头。不符合要求时，应采取有效处理措施。

13.2.9 钢井塔构件之间的连接宜为焊接、高强度螺栓连接或栓焊混合连接。A类钢井塔主要构件的长细比，不宜大于表13.2.9的限值。

表13.2.9 A类钢井塔主要构件的长细比限值

结构构件		6度	7度	8度	9度
柱	轴心受压柱	130	130	120	120
	偏心受压柱	130	100	80	80
支撑	按压杆设计	150	150	120	120
	按拉杆设计	200	200	150	150

13.2.10 井塔符合本标准第13.2.1～13.2.9条的各项规定时，

可评为满足综合抗震能力要求；当遇下列情况之一时，应评为综合抗震能力不满足抗震要求，并应根据抗震验算结果确定其加固或其他相应措施：

1 梁柱节点构造不符合要求的框架型井塔。

2 8 度、9 度时井塔混凝土强度等级低于 C13。

3 与框架结构相连的承重砌体结构不符合要求。

4 本标准第 13.2.1～13.2.9 条的规定有多项不符合要求。

（Ⅱ）第二级鉴定

13.2.11 A 类井塔的第二级鉴定，应按现行国家标准《构筑物抗震设计规范》GB 50191 的抗震分析方法和本标准第 5 章的规定进行抗震承载力验算，计算时构件组合的内力设计值可不作调整。抗震验算满足要求时，可评定为满足抗震鉴定要求；不满足要求时，应采取加固或其他相应措施。

13.3 B 类井塔抗震鉴定

（Ⅰ）抗震措施鉴定

13.3.1 现有 B 类钢筋混凝土井塔的抗震鉴定，应按表 13.3.1 确定鉴定时所采用的抗震等级，并应按其抗震等级核查抗震构造措施。

表 13.3.1 钢筋混凝土井塔的抗震等级

结构类型		烈度						
		6 度		7 度		8 度		9 度
框架型	高度（m）	≤30	>30	≤30	>30	≤30	>30	—
	框架	四	三	三	二	二	一	—
箱（筒）型	高度（m）	≤60	>60	≤60	>60	≤60	>60	≤60
	框架	四	三	三	二	二	一	一
	筒壁	三	三	二	二	一	一	一

注：乙类井塔应按提高一度查表确定其抗震等级。

13.3.2 现有B类井塔的结构体系，应按下列规定检查：

1 钢筋混凝土框架型结构为矩形平面时，其长宽比不宜大于1.5。

2 箱（筒）型结构为矩形平面时，其长宽比不宜大于2.0。

3 井塔平面内质量分布和抗侧力构件的布置宜均匀、对称。

4 竖向结构布置宜上下一致。

5 钢筋混凝土箱（筒）型结构的筒壁应双向均匀布置，每侧筒壁上下宜连续布置。

6 钢筋混凝土箱（筒）型井塔塔身的洞口，宜匀称且上下对齐布置。

7 钢框架-支撑体系的支撑宜为中心支撑，支撑应双向对称布置，竖向宜连续布置。

8 井塔的各层楼板宜为现浇钢筋混凝土结构。钢井塔的楼盖为压型钢板现浇钢筋混凝土组合楼板或非组合楼板时，其钢梁上翼缘表面宜设有抗剪键。

9 6度～8度井塔提升机层为悬挑结构时，悬挑长度不宜超过表13.3.2的限值，并宜对称布置；9度时，不宜为悬挑结构。

表13.3.2 最大悬挑长度（m）

烈度	6度	7度	8度
悬挑结构长度	5.0	4.0	3.5

10 井塔与贴建的建（构）筑物之间应设防震缝，其最小宽度宜符合现行国家标准《构筑物抗震设计规范》GB 50191的要求。

13.3.3 现有B类钢筋混凝土井塔的抗震构造措施，应按下列规定检查：

1 筒壁厚度不应小于200mm；相邻层筒壁厚度之差不宜超过较小壁厚的1/3。

2 筒壁洞口宜布置在筒壁中间部位，洞口宽度不应大于筒壁宽度的1/3。

3 当筒壁洞口宽度大于4m或大于1/3筒壁宽度时，洞口两侧宜设有贯通全层的竖向加强肋；加强肋中竖向钢筋两端伸入楼板（基础）中的锚固长度，不宜小于35倍竖向钢筋直径；洞口上部应设有连梁，连梁应符合框架梁的配筋要求。

4 筒壁应为双层配筋，竖向钢筋直径不宜小于12mm，间距不宜大于250mm；横向钢筋直径不宜小于8mm，间距不宜大于250mm，且横向钢筋宜配置于竖向钢筋的外侧；双层钢筋之间的拉筋，间距不宜大于500mm（梅花形布置），直径不应小于6mm；筒壁竖向和横向钢筋配筋率，均不宜小于0.25%。

5 矩形平面井塔的筒壁内侧转角，宜为八字角，角宽可为150mm～300mm，并宜设置贴角筋；贴角筋的直径和间距可与筒壁横向钢筋相同。

6 洞口高度和宽度均不大于1.0m时，筒壁门窗洞边的竖向钢筋不宜少于2ϕ14；洞口转角处的斜向钢筋不宜少于2ϕ12，且伸过洞口边的锚固长度不宜小于35倍斜向钢筋直径。洞口高度和宽度均大于1.0m时，洞口两侧应设有边缘构件，洞口上下宜设有连梁。

7 框架型井塔的抗震构造措施尚应符合本标准第6.3节有关框架结构的规定。

13.3.4 梁、柱、筒壁实际的混凝土强度等级不应低于C18。一级的框架梁、柱和节点不应低于C20。

13.3.5 钢井塔构件之间的连接，宜为焊接、高强度螺栓连接或栓焊混合连接。B类钢井塔主要构件的长细比，宜符合表13.3.5的规定。

表 13.3.5 B类钢井塔主要构件的长细比限值

结构构件		6度	7度	8度	9度
柱	轴心受压柱	120	120	120	120
	偏心受压柱	120	90	70	70
支撑	按压杆设计	150	150	120	120
	按拉杆设计	200	200	150	150

（Ⅱ）抗震承载力验算

13.3.6 现有B类钢筋混凝土井塔应根据现行国家标准《构筑物抗震设计规范》GB 50191的抗震分析方法和本标准第5章的规定进行抗震承载力验算，计算时钢筋混凝土框架型井塔构件组合内力设计值的调整应符合本标准附录D的规定，其他钢筋混凝土井塔结构的组合内力设计值可不作调整。当钢筋混凝土框架型井塔的抗震措施鉴定不满足本标准第13.3.1～13.3.5条的要求时，可按本标准第13.1.5条有关B类井塔的规定，通过构造影响系数进行综合抗震能力评定。其他井塔不满足抗震承载力要求时，应采取加固等处理措施。

13.3.7 B类钢筋混凝土框架型井塔的构造影响系数，可根据结构体系、构造措施、混凝土强度等级，按下列情况确定：

1 当结构体系、构造措施、混凝土强度等级等各项构造均符合现行国家标准《构筑物抗震设计规范》GB 50191的规定时，可取1.1。

2 当各项构造均符合本标准第13.3.1～13.3.5条的规定时，可取1.0。

3 当各项构造均符合本标准第13.2.1～13.2.9条有关A类井塔鉴定的规定时，可取0.8。

4 当结构受损伤或发生倾斜但已修复纠正，本条第1～3款构造影响系数数值尚宜再乘以0.8～1.0。

13.3.8 现有B类钢井塔不满足本标准第13.3节有关抗震措施鉴定要求时，应根据现行国家标准《构筑物抗震设计规范》GB 50191的抗震分析方法和本标准第5章的规定进行抗震承载力的验算。8度Ⅲ、Ⅳ类场地和9度时，乙类钢井塔尚应进行罕遇地震的弹塑性变形验算，验算时宜计入重力二阶效应影响。

14 井　架

14.1 一般规定

14.1.1 本章适用于钢筋混凝土井架、斜撑式钢井架的抗震鉴定。B类钢筋混凝土井架抗震鉴定时，井架的高度不宜超过25m；超过25m时，应专门研究其鉴定方法。

14.1.2 现有井架抗震鉴定，应依据其结构类型和设防烈度重点检查下列部位和内容：

1 6度时，应检查局部易掉落伤人的构件以及非结构构件的连接构造，悬挑结构布置和悬挑长度，与贴建的建（构）筑物之间的防震缝宽度。

2 7度时，除应符合本条第1款要求外，尚应检查结构构件的连接方式以及不同结构之间的连接构造。

3 8度、9度时，除应符合本条第1和2款要求外，对钢筋混凝土井架尚应检查梁、柱、悬挑结构等构件的配筋和构造，材料强度，井架结构的布置，荷载的大小和分布等。对钢井架尚应检查梁、柱、支撑、悬挑结构等构件的尺寸和构造，井架结构和支撑布置，主要构件的长细比，荷载的大小和分布等。

14.1.3 井架的外观和内在质量，应符合下列规定：

1 钢筋混凝土井架的构件及其节点的混凝土可仅有少量微小开裂或局部剥落，钢筋应无外露、锈蚀。钢井架的构件及其节点可仅有轻微损伤和锈蚀。

2 填充墙宜无明显开裂或与主体结构脱开。

3 主体结构构件应无明显变形、倾斜或歪扭。

4 钢井架已经更换的立柱数量不宜大于20%。

14.1.4 现有井架的抗震鉴定，应按结构体系的合理性、结构构件材料的实际强度、结构构件的设置和构件连接的可靠性、填充墙等与主体结构的拉结构造，以及构件抗震承载力的综合分析，对井架的抗震能力进行评定。

当钢筋混凝土井架的梁、柱等构件或节点构造不符合规定时，应评为不满足抗震鉴定要求；当仅有填充墙或屋盖结构不符合规定时，应评为局部不满足抗震鉴定要求。

当钢井架的斜撑柱和立架柱有明显变形、整体扭曲时，应评为不满足抗震鉴定要求。

14.1.5 A类井架应进行综合抗震能力两级鉴定，当符合第一级鉴定的各项要求时，除9度外应允许不进行抗震验算而评为满足抗震鉴定要求；不符合第一级鉴定要求和9度时，除本标准有明确规定外，应通过第二级鉴定作出判断。

B类井架的抗震鉴定，应通过其抗震措施检查和现有抗震承载力验算结果作出判断；B类钢筋混凝土井架也可按本标准第13.1.5条有关B类井塔计入构造影响进行综合抗震能力评定。

14.2 A类井架抗震鉴定

（Ⅰ）第一级鉴定

14.2.1 现有A类井架的结构体系，应符合下列规定：

1 钢筋混凝土四柱式井架的高度不宜超过20m，六柱式井架不宜超过25m。

2 天轮梁的支承横梁，宜为带斜撑的梁式结构。

3 六柱式井架的斜架基础埋深，不宜小于2m。

4 8度、9度时，与支承天轮的井架立架不宜支承在井口梁上。

5 双斜撑钢井架的立架宜独立支承在井颈上。

14.2.2 A类井架连接和构造措施，应按下列规定检查：

1 立架底部框口的顶端节点，应满足刚接节点要求。

2 杆件节点连接，应满足本标准第6或7章的有关规定。

3 斜架柱脚基础二次浇灌层应紧密结合，地脚锚栓应符合本标准第 9.4.3 条的要求。

4 钢井架的斜撑、立架柱和天轮支承结构压杆的长细比，7 度、8 度时不宜大于 120，9 度时不宜大于 100；f_y 为钢材的屈服强度。

5 钢井架的斜撑和立架柱腹杆，按压杆设计时的长细比不宜大于 150，按拉杆设计时的长细比不宜大于 250。

14.2.3 井架与贴建的建（构）筑物之间应设防震缝，防震缝的宽度宜符合现行国家标准《构筑物抗震设计规范》GB 50191 的有关要求。

14.2.4 钢筋混凝土井架梁、柱等构件和节点实际达到的混凝土强度等级，6 度、7 度时不应低于 C13，8 度、9 度时不应低于 C18。

14.2.5 钢筋混凝土井架结构的构造措施，应按下列规定检查：

1 除天轮大梁及其支承横梁外，井架框架梁的截面尺寸、配筋，应符合本标准第 6.2 节有关 A 类框架的规定。

2 井架柱的最小截面尺寸，宜符合表 14.2.5 的规定。

表 14.2.5 井架柱最小截面尺寸（mm×mm）

结构形式		截面尺寸（纵向×横向）
四柱式		400×600
六柱式	立架	400×400
	斜架柱	500×350

3 井架柱的轴压比、配筋，宜符合本标准第 6.2 节有关 A 类框架的规定。

14.2.6 钢井架的构造措施，应按下列规定检查：

1 斜撑式钢井架的构件连接，宜为焊接或高强度螺栓连接；8 度、9 度时，不宜为普通螺栓连接。

2 梁、柱板件的宽厚比限值，宜符合本标准第 7.2.2 条的规定。

3 节点板厚度不宜小于 8mm。

4　斜撑、立架柱和天轮支承结构构件的长细比，7度和8度时不宜大于150，9度时不宜大于120。

5　外露式斜撑基础的地脚螺栓应设有双螺母，地脚螺栓中心至地基边缘的距离不宜小于8倍螺栓直径。

14.2.7　钢筋混凝土井架符合本标准第14.2.1～14.2.5条的各项规定时，可评为综合抗震能力满足要求；当遇下列情况之一时，可不再进行第二级鉴定，但应评为综合抗震能力不满足抗震要求，且应对其采取加固或其他相应措施：

1　梁柱节点构造不符合要求的井架。

2　8度、9度时混凝土强度等级低于C13。

3　本标准第14.2.1～14.2.5条的规定有多项不符合要求。

14.2.8　钢井架符合本标准第14.2.1～14.2.4、14.2.6条的各项规定时，可评为综合抗震能力满足要求；当遇下列情况之一时，可不再进行第二级鉴定，应评为综合抗震能力不满足抗震要求，且应对其采取加固或其他措施：

1　井架有明显扭曲变形时。

2　井架斜撑柱、立架柱有明显弯曲且无法矫正时。

3　本节其他规定有多项明显不符合要求时。

（Ⅱ）第二级鉴定

14.2.9　A类井架的第二级鉴定可按现行国家标准《构筑物抗震设计规范》GB 50191的抗震分析方法和本标准第5章的规定进行抗震承载力验算；计算时构件组合内力设计值可不作调整。抗震验算满足要求时，可评定为满足抗震鉴定要求；当不满足要求时，应采取加固或其他相应措施。

14.3　B类井架抗震鉴定

（Ⅰ）抗震措施鉴定

14.3.1　现有B类钢筋混凝土井架的抗震鉴定，应按表14.3.1

确定鉴定时所采用的抗震等级，并应按其抗震等级的要求核查抗震构造措施。

表 14.3.1 钢筋混凝土井架的抗震等级

烈 度	6度	7度	8度	9度
抗震等级	三	三	二	一

注：乙类井架应按提高一度查表确定其抗震等级，9度时仍为一级。

14.3.2 现有井架的结构体系，应按下列规定检查：

1 井架高度超过25m或多绳提升井架，宜为钢结构。

2 天轮梁的支承横梁，宜为带斜撑的梁式结构。

3 六柱式井架的斜架基础埋深，不宜小于2m。

4 支承天轮的井架立架不宜支承在井口梁上。

5 双斜撑钢井架的立架宜独立支承在井颈上。

14.3.3 井架与贴建的建（构）筑物之间应设防震缝，防震缝的宽度应满足现行国家标准《构筑物抗震设计规范》GB 50191 的要求。

14.3.4 钢筋混凝土井架梁、柱等构件和节点实际达到的混凝土强度等级，6度、7度时不应低于C18，9度时不应低于C20。

14.3.5 钢筋混凝土井架结构的构造措施，尚应按下列规定检查：

1 9度时，斜架基础的混凝土强度等级不应低于C20。

2 井架柱的节间净高与截面高度之比，宜大于4。井架柱的最小截面尺寸，应符合表14.2.5的规定。

3 除天轮大梁及其支承横梁外，井架框架梁的截面尺寸、配筋应满足本标准第6.3节有关B类框架的规定。

4 井架柱的轴压比、配筋应符合本标准第6.3节有关框架的规定，但底层柱的箍筋应全高加密。

5 井架柱的纵向钢筋，应与基础或井颈有可靠的锚固。

6 8度、9度时，六柱式井架的斜架基础，自基础顶面以下沿锥面四周应配有竖向钢筋，其直径不应小于10mm，长度不应小于 1.5m，间距 8 度时不应大于 200mm，9 度时不应大于 150mm。

14.3.6 钢井架的构造措施，应按下列规定检查：

1 斜撑式钢井架的构件连接，应为焊接或高强度螺栓连接。

2 梁、柱板件的宽厚比应符合本标准第 7.3.4 条的规定。

3 节点板厚度不应小于 8mm。

4 斜撑、立架柱和天轮支承结构压杆的长细比，8 度时不宜大于 120，9 度时不宜大于 100。

5 斜撑和立架柱中的腹杆，按压杆设计时的长细比不宜大于 150，按拉杆设计的长细比不宜大于 250。

14.3.7 钢井架外露式斜撑基础的构造，应符合下列规定：

1 地脚螺栓应设有双螺母。

2 地脚螺栓中心至基础边缘的距离，不应小于螺栓直径的 8 倍。

3 9 度时，斜撑基础的混凝土强度等级不宜低于 C20。

4 8 度和 9 度时，斜撑基础顶面以下沿锥面四周应配置竖向钢筋，钢筋直径不宜小于 10mm，长度不宜小于 1.5m，其间距 8 度时不宜大于 150mm，9 度时不宜大于 100mm；在基础顶面宜配有不少于两层的钢筋网，钢筋直径不宜小于 6mm，间距不宜大于 200mm。

（Ⅱ）抗震承载力验算

14.3.8 B 类钢筋混凝土井架应根据现行国家标准《构筑物抗震设计规范》GB 50191 的抗震分析方法和本标准第 5 章的规定进行抗震承载力验算，计算时构件组合内力设计值的调整应符合本标准附录 D 的规定；当抗震构造措施不满足本标准第 14.3.1～14.3.6 条的要求时，可按本标准第 13.1.5 条有关 B 类井塔的规定，通过构造影响系数进行综合抗震能力评定。

14.3.9 B 类钢筋混凝土井架的构造影响系数，可按下列情况确定：

1 当各项构造措施要求均符合现行国家标准《构筑物抗震设计规范》GB 50191 的规定时，可取 1.1。

2 当各项构造措施要求均符合本标准第 14.3.1～14.3.6 条的要求时，可取 1.0。

3 当各项构造措施要求均符合本标准第 14.2.1～14.2.5 条有关 A 类井架规定要求时，可取 0.8。

4 当结构受损伤或发生倾斜但已修复纠正时，本条第 1～3 款构造影响系数数值尚宜再乘以 0.8～1.0。

14.3.10 B 类钢井架不满足本标准第 14.3.3、14.3.6、14.3.7 条有关抗震措施鉴定的要求时，应根据现行国家标准《构筑物抗震设计规范》GB 50191 的抗震分析方法和本标准第 5 章的规定进行抗震承载力验算，计算时构件组合内力设计值可不作调整；乙类钢井架尚应进行罕遇地震弹塑性变形验算，验算时宜计入重力二阶效应影响。

15 电 视 塔

15.1 一 般 规 定

15.1.1 本章适用于钢筋混凝土电视塔和钢电视塔的抗震鉴定。

15.1.2 现有电视塔的抗震鉴定，应重点检查下列内容：

1 电视塔所在场地（地段）对结构抗震性能的不利影响。

2 电视塔结构刚度沿高度突变对结构抗震性能的不利影响。

3 塔筒结构的高度、造型及构造。

4 塔楼的结构布置及连接构造。

5 塔顶桅杆（天线）结构、连接构造。

15.1.3 电视塔的外观和内在质量，应符合下列规定：

1 塔体应无明显倾斜、变形。

2 塔楼及天线桅杆节点连接应无变形和松动。

3 钢结构构件截面应无明显腐蚀、削弱，构件连接应无断裂、变形和松动。

4 钢筋混凝土结构构件应无腐蚀、开裂，钢筋应无裸露。

15.2 抗震措施鉴定

15.2.1 钢电视塔塔体横截面边数大于3时，应设置横隔。当横截面边数为3，但横杆中间有斜腹杆连接交汇点时，也应设置横隔。横隔的设置，应符合下列规定：

1 在承受荷载和工艺需要处，应设置横隔。

2 塔身坡度改变处，应设置横隔。

3 塔身坡度不变的塔段，6度～8度时每隔2个～3个节间应设置一道横隔；9度时每1个～2个节间应设置一道横隔；斜腹杆按柔性设计的电视塔，每节间均应设置横隔。

15.2.2 钢电视塔的构件长细比，不应超过表15.2.2的规定。

表 15.2.2　钢电视塔的构件长细比限值

构件类别	长细比
受压的弦杆、斜杆、横杆	150
受压的辅助杆、横隔杆	200
受拉杆	350

15.2.3　钢电视塔受力构件及其连接件，其板件厚度不宜小于6mm，角钢截面不宜小于50mm×3mm，圆钢直径不宜小于12mm，钢管壁厚不宜小于4mm。

15.2.4　钢电视塔构件端部的连接焊缝，应为围焊焊接，在转角处的围焊焊缝应连续。

15.2.5　钢电视塔采用螺栓连接时，除组合构件的缀条外，每一杆件在节点上或拼接接头每一端的螺栓数目不应少于2个；法兰盘的连接螺栓数目不应少于3个；螺栓直径不应小于12mm。

15.2.6　圆钢或钢管与法兰盘焊接连接并设加劲肋时，其肋板厚度不应小于肋长的1/15，且不应小于6mm。

15.2.7　钢筋混凝土环形截面电视塔的横隔设置，应符合下列规定：

1　在承受荷载和工艺需要处，应设置横隔。

2　塔身坡度改变处，应设置横隔。

3　塔身坡度不变或缓变的塔段，当采用双层配筋时，横隔间距不应大于20m；当采用单层配筋时，横隔间距不应大于10m；当塔身存在纵向裂缝时，横隔间距应进一步减小。

15.2.8　钢筋混凝土环形截面塔身筒壁的最小厚度不应小于160mm，且不应小于100mm+10D，D为塔筒外径（m）。

15.2.9　钢筋混凝土塔身的混凝土强度等级，6度、7度时不应低于C20，8度、9度时不应低于C25；基础混凝土强度等级不应低于C18；塔身筒壁的纵向钢筋直径不应小于16mm，双排纵向钢筋的最小配筋率不应小于0.4%；环向钢筋直径不应小于12mm，双层环向钢筋的最小配筋率不应小于0.35%。

15.2.10 钢筋混凝土塔身的轴压比，6度时不宜大于0.8，7度时不宜大于0.7，8度和9度时不宜大于0.6。

15.2.11 钢筋混凝土塔身筒壁的孔洞周边应配有附加钢筋，附加钢筋面积宜为被洞口截断钢筋面积的1.3倍。

15.2.12 电视塔结构在塔身、塔杆和钢桅杆的交接部位以及变截面部位，应有局部加强和减小应力集中的措施。

15.3 抗震承载力验算

15.3.1 满足抗震措施要求的下列电视塔，可不进行抗震承载能力验算，可直接判定为满足抗震鉴定要求：

1 7度Ⅰ、Ⅱ、Ⅲ类场地及8度Ⅰ、Ⅱ类场地时，不带塔楼的钢电视塔。

2 7度Ⅰ、Ⅱ类场地，且基本风压不小于0.4kN/m^2时，以及7度Ⅲ、Ⅳ类场地和8度Ⅰ、Ⅱ类场地，且基本风压不小于0.7kN/m^2时不带塔楼的200m以下的钢筋混凝土电视塔。

15.3.2 不符合本标准第15.3.1条规定的电视塔，应按现行国家标准《构筑物抗震设计规范》GB 50191的抗震分析方法和本标准第5章的规定进行抗震承载力验算。结构安全等级为一级的电视塔或结构安全等级为二级且高度大于200m带塔楼的钢筋混凝土电视塔或高度大于250m带塔楼的钢电塔，尚应进行罕遇地震下的弹塑性变形验算，验算时宜计入重力二阶效应的影响。

16 冷 却 塔

16.1 自然通风冷却塔

（Ⅰ）一 般 规 定

16.1.1 本章适用于自然通风和机力通风钢筋混凝土冷却塔的抗震鉴定。

16.1.2 抗震鉴定时，对塔筒（包括旋转壳通风筒、斜支柱、环形基础）及淋水构架的外观质量、混凝土强度等级、结构构造、基础的不均匀沉降、接地系统等，应进行重点检查。对建在湿陷性黄土或不均匀地基上的冷却塔，尚应检查管沟接头和贮水池有无渗漏和沉陷等。

16.1.3 自然通风冷却塔抗震鉴定，可包括抗震措施鉴定和抗震承载力验算。当符合本标准第16.1.4～16.1.9条的各项规定时，可评为满足抗震鉴定要求；当不符合时，可根据抗震措施和抗震承载力不符合的程度，通过综合分析确定采取加固或其他相应对策。

（Ⅱ）A类自然通风冷却塔抗震鉴定

16.1.4 A类自然通风冷却塔的抗震措施鉴定，应按下列规定检查：

1 塔筒、斜支柱、淋水构架梁柱和水槽实际达到的混凝土强度等级，不宜低于C20。

2 塔筒、斜支柱、淋水构架和水槽不应有明显的裂缝和倾斜，混凝土不应有严重的剥落和冻融损坏，钢筋应无外露和锈蚀。

3 塔筒筒壁在子午向和环向均应为双层配筋，每层单向配筋率不宜小于0.15%。

4 斜支柱的截面宽度和高度均不宜小于300mm，圆形柱直径和多边形柱内切圆直径均不宜小于350mm。支柱纵向钢筋伸入环梁的长度，不宜小于钢筋直径的60倍；伸入基础的长度，不宜小于钢筋直径的40倍。

5 预制主水槽的接头应焊接牢靠；配水槽伸入主水槽的搁置长度，不宜小于70mm；8度和9度时，主、配水槽的接头处，应焊接连接或有防止拉脱措施。

16.1.5 A类自然通风冷却塔抗震承载力验算，可按本标准第16.1.8条规定执行。

（Ⅲ）B类自然通风冷却塔抗震鉴定

16.1.6 B类自然通风冷却塔抗震措施鉴定，应按下列规定检查：

1 自然通风冷却塔实际达到的混凝土强度等级，塔筒、淋水构架梁柱不宜低于C25。

2 冷却塔塔筒和淋水构架，可仅有少量微细裂缝，钢筋应无外露和锈蚀。

3 塔筒筒壁在子午向和环向均应为双层配筋，每层单向配筋率不宜小于0.2%。

4 在每对斜支柱组成的平面内，斜支柱的倾斜角不宜小于11°；斜支柱的截面宽度和高度均不宜小于300mm，圆形柱直径和多边形柱内切圆直径均不宜小于350mm。支柱纵向钢筋伸入环梁的长度，不宜小于钢筋直径的60倍；伸入基础的长度，不宜小于钢筋直径的40倍。斜支柱的配筋率和箍筋配置，应符合现行国家标准《构筑物抗震设计规范》GB 50191的有关要求。

5 预制主水槽的接头，应符合本标准第16.1.4条第5款的要求。

16.1.7 B类自然通风冷却塔的抗震等级，应根据设防烈度、结构类型和淋水面积按表16.1.7确定。

表 16.1.7　自然通风冷却的抗震等级

结构类型和淋水面积		6度	7度	8度	9度
塔筒	$S<4000m^2$	四	四	三	二
	$4000m^2 \leqslant S \leqslant 9000m^2$	四	三	二	一
	$S>9000m^2$	三	二	一	一
淋水装置	框架、排架	四	三	二	一

注：S 为冷却塔的淋水面积。

16.1.8　B类自然通风冷却塔的抗震构造措施，尚应符合下列规定：

1　柱的轴压比不宜大于表16.1.8-1的限值。

表 16.1.8-1　柱的轴压比

结构类型	抗震等级			
	一级	二级	三级	四级
斜支柱	0.6	0.7	0.8	
框架柱、排架柱	0.7	0.8	0.9	

注：1　轴压比指柱组合的轴压力设计值与全截面面积和混凝土轴心抗压强度设计值乘积之比值；

2　在不受冻融影响的地区，其轴压比可按表中数值增加0.05；

3　Ⅳ类场地的大型冷却塔，轴压比宜减小0.05。

2　柱的纵向钢筋最小总配筋率宜符合表16.1.8-2的规定。

表 16.1.8-2　柱的纵向钢筋最小总配筋率（%）

结构类型	抗震等级			
	一级	二级	三级	四级
斜支柱	1.2	1.0	0.9	0.8
框架柱、排架柱	1.0	0.8	0.7	0.6

注：当采用HRB400级钢筋时，纵向钢筋最小配筋率可减少0.1%，且一侧配筋率不宜小于0.2%；Ⅳ类场地时，最小配筋率宜增加0.1%。

3　柱两端1/6柱长、柱截面长边长度（或直径）和500mm

三者的较大值范围内，箍筋宜加密，间距不宜大于100mm，直径不应小于6mm。

4 淋水构架柱的柱顶，柱根500mm范围内，以及牛腿全高、牛腿顶面至构架梁顶面以上300mm区段范围内，箍筋均宜加密，其间距不宜大于100mm，加密区的箍筋最小直径抗震等级一级不宜小于10mm，二级、三级不应小于8mm，四级不应小于6mm。

5 8度、9度时，淋水构架的梁和水槽不宜搁置在筒壁牛腿上。

6 8度、9度时，除水器、淋水填料、填料格栅均不应浮搁，与梁之间应有可靠连接。

16.1.9 B类自然通风冷却塔的抗震承载力验算，应符合下列规定：

1 冷却塔塔筒符合下列条件之一时，可不进行抗震验算：

1) 7度Ⅰ、Ⅱ、Ⅲ类场地或8度Ⅰ、Ⅱ类场地，且淋水面积小于$4000m^2$；

2) 7度Ⅰ、Ⅱ类场地或8度Ⅰ类场地，且淋水面积为$4000m^2$～$9000m^2$和基本风压大于$0.35kN/m^2$。

2 不符合本条第1款规定时，应按现行国家标准《构筑物抗震设计规范》GB 50191的抗震分析方法和本标准第5章规定进行抗震承载力验算。

3 不符抗震承载力验算要求时，应采取加固等措施。

16.2 机力通风冷却塔

16.2.1 本节适用于机力通风钢筋混凝土冷却塔的抗震鉴定。

16.2.2 机力通风冷却塔的抗震措施鉴定，应按下列规定检查：

1 冷却塔实际达到的混凝土强度等级不宜低于C18。

2 冷却塔不应有严重倾斜，塔高不超过20m时倾斜率不应大于0.8%。

3 框架梁柱的表面不应有严重的腐蚀、剥落，钢筋应无外露、锈蚀。

4 围护墙、隔风板及风筒为预制构件时，应与框架连接牢固，不应有局部脱开或破损。

5 砖砌体填充墙，A类、B类冷却塔应分别符合本标准第3.0.13和3.0.14条的规定。

16.2.3 A、B类机力通风冷却塔框架结构的抗震构造措施，应分别符合本标准第6章有关A、B类框架结构的要求；B类塔框架的抗震等级，6度、7度时可按三级采用，8度、9度时可按二级采用。

16.2.4 8度和9度时，集水器、淋水填料、格栅与梁之间应有可靠连接；如为浮搁或已松动时，宜采取加固措施。

16.2.5 8度Ⅲ、Ⅳ类场地和9度时，不符合本标准第16.2.1～16.2.4条抗震措施要求的机力通风冷却塔，应按本标准第6章有关B类框架结构的规定进行抗震承载力验算。不满足抗震要求时，应采取加固等措施。

17 焦炉基础

17.1 一般规定

17.1.1 本章适用于炭化室高度不大于6m的大、中型钢筋混凝土构架式焦炉的基础的抗震鉴定。

17.1.2 焦炉基础的抗震鉴定，应重点检查基础构架，抵抗墙，炉端台、炉间台和操作台的梁端支座，以及焦炉的纵向拉条和刚性链杆。

17.2 A类焦炉基础抗震鉴定

（Ⅰ）第一级鉴定

17.2.1 焦炉基础构架梁柱和刚接节点，应符合本标准第6章有关A类框架结构的抗震构造要求。

17.2.2 刚性链杆和纵向拉条应齐全、无损坏无断裂和弯曲，并应保持在受力工作状态。

17.2.3 焦炉基础构架的铰接柱（一端铰接或两端铰接），其上端为铰接时，柱顶面与构架梁之间的间隙，以及下端为铰接时柱侧边与底板杯口内壁顶部之间的间隙，均不应小于20mm，并应浇灌沥青玛琋脂等软质材料，不得填充水泥砂浆等硬质材料。

17.2.4 设置在焦炉基础、炉端台、炉间台，以及机侧和焦侧操作台的梁端滑动支座或滚动支座，应能保持正常工作。

17.2.5 焦炉基础与相邻结构之间的防震缝宽度不宜小于50mm。

17.2.6 焦炉基础符合本标准第17.2.1～17.2.5条的各项规定时，可评为综合抗震能力满足要求；当遇下列情况之一时，可不再进行第二级鉴定，但应评为综合抗震能力不满足抗震要求，且应对焦炉基础采取加固或其他相应措施：

1 梁柱节点构造不符合要求的焦炉构架。

2 8度、9度时混凝土强度等级低于C13。

3 刚性链杆和纵向拉条损坏或断裂。

4 本节的其他规定有多项不符合要求。

（Ⅱ）第二级鉴定

17.2.7 8度Ⅲ、Ⅳ类场地和9度，或当部分抗震措施不满足第一级鉴定要求时，应进行第二级鉴定；第二级鉴定可采用本标准第6章有关A类钢筋混凝土框架第二级鉴定的方法。

17.3 B类焦炉基础抗震鉴定

（Ⅰ）抗震措施鉴定

17.3.1 8度Ⅲ、Ⅳ类场地和9度时，焦炉基础横向构架边柱的上下端节点可为铰接或固接，中间柱的上下端节点应为固接。

17.3.2 焦炉基础构架梁柱及其固接节点，应符合本标准第6章有关B类框架结构的抗震构造要求。6度和7度时应满足框架抗震等级三级要求，8度和9度时应满足框架抗震等级二级要求。

17.3.3 焦炉的纵向拉条和刚性链接应齐全、无损坏、无断裂和弯曲，并应保持工作状态。

17.3.4 现浇构架柱铰接端的插筋，直径不宜小于20mm，锚固长度不宜小于钢筋直径的35倍。预制构架柱铰接节点，柱边与杯口内壁之间的距离不宜小于30mm，并应浇灌沥青玛琋脂等软质材料，不得填塞水泥砂浆等硬质材料。构架柱的铰接端，宜设有承受局部受压的焊接钢筋网，且不宜少于4片，钢筋网的钢筋直径不宜小于8mm，网孔尺寸不宜大于80mm×80mm。

17.3.5 设置在焦炉基础、炉端台、炉间台，以及机侧和焦侧操作台的梁端滑动支座或滚动支座，应能保持正常工作。

17.3.6 焦炉基础与相邻结构之间的防震缝不应小于50mm。

（Ⅱ）抗震承载力验算

17.3.7 6度和7度Ⅰ、Ⅱ类场地时，焦炉基础可不进行抗震验算，但应满足相应的抗震措施要求。

17.3.8 不满足本标准第17.3.1～17.3.7条抗震措施要求且为7度Ⅲ、Ⅳ类场地和8度、9度时，B类焦炉基础应按现行国家标准《构筑物抗震设计规范》GB 50191的抗震分析方法和本标准第5章的规定进行抗震承载力验算；计算时其构件组合内力设计值的调整应符合本标准附录D的规定。不满足抗震要求时，应采取加固等措施。

18 回转窑和竖窑基础

18.1 一 般 规 定

18.1.1 本章适用于回转窑和竖窑钢筋混凝土构架式基础的抗震鉴定。

18.1.2 回转窑和竖窑基础的抗震鉴定，应重点检查下列薄弱部位。

1 7度时，应检查构架梁柱的连接方式、设备与基础构件之间的连接构造。

2 8度、9度时，除应按本条第1款检查外，尚应检查梁、柱的配筋、材料强度、各构件之间的连接、结构体型的规则性、短柱分布、作用荷载大小和分布等。

18.1.3 回转窑和竖窑基础的外观和内在质量，应符合下列规定：

1 梁、柱及其节点的混凝土可仅有少量微细开裂或局部剥落，钢筋应无外露和锈蚀。

2 填充墙宜无明显开裂或与构架脱开。

3 主体构架应无明显变形、倾斜或歪扭。

18.1.4 回转窑和竖窑基础的抗震鉴定，应按结构体系的合理性、结构构件材料的实际强度、结构构件的纵向钢筋和横向箍筋的配置和构件连接的可靠性、填充墙等与主体结构的拉结构造，以及构件抗震承载力的综合分析，对整体结构的抗震能力进行评定。

当梁柱节点构造和横向跨间结构构造不符合规定时，应评为不满足抗震鉴定要求；当仅有出入口、人流通道处的填充墙不符合规定时，应评为局部不满足抗震鉴定要求。

18.1.5 A类回转窑和竖窑基础应进行综合抗震能力等级鉴

定。当符合第一级鉴定的各项规定时，除8度Ⅲ、Ⅳ类场地和9度外，可不进行抗震验算而评为满足抗震鉴定要求；不符合第一级鉴定要求和8度Ⅲ、Ⅳ类场地及9度时，应进行第二级鉴定。

B类回转窑和竖窑基础应根据其构架的抗震等级进行结构布置和构造检查，并应通过内力调整进行抗震承载力验算。

18.1.6 当砌体结构与构架相连或依托于构架时，应加大砌体结构所承担的地震作用，再按本标准第5章的规定进行抗震验算。

18.2 A类回转窑和竖窑基础抗震鉴定

（Ⅰ）第一级鉴定

18.2.1 回转窑和竖窑基础，应按本标准第6章A类框架结构的规定进行第一级鉴定。

18.2.2 回转窑和竖窑基础符合本标准第18.2.1条的要求时，可评为综合抗震能力满足要求；当遇下列情况之一时，应评为综合抗震能力不满足抗震要求，并应根据抗震验算结果确定其加固或其他措施：

1 梁柱节点构造不符合要求的构架式基础。

2 8度Ⅲ、Ⅳ类场地和9度时混凝土强度等级低于C13。

3 与构架相连的砌体承重结构不符合抗震要求。

4 仅有填充墙等非结构构件不符合本标准第3.0.13条的有关要求。

5 本节的其他规定有多项不符合要求。

18.2.3 8度Ⅲ、Ⅳ类场地和9度时，回转窑宜设有防止窑体沿轴向滑移的措施。地脚螺栓的构造要求宜符合本标准第10.4.6条的有关规定。

（Ⅱ）第二级鉴定

18.2.4 8度Ⅲ、Ⅳ类场地和9度，或不满足A类回转窑和竖窑基础第一级鉴定的要求时，应进行第二级鉴定。第二级鉴定可采用本标准第6章有关A类钢筋混凝土框架第二级鉴定的方法。

18.3 B类回转窑和竖窑基础抗震鉴定

（Ⅰ）抗震措施鉴定

18.3.1 B类回转窑和竖窑基础的抗震构造措施，6度、7度应满足本标准第6.3节有关三级框架结构的要求，8度、9度应满足本标准第6.3节有关二级框架结构的要求。

18.3.2 回转窑和竖窑构架或基础混凝土强度等级，8度Ⅲ、Ⅳ类场地和9度时不应低于C20，其他情况时不应低于C18。

18.3.3 8度Ⅲ、Ⅳ类场地和9度时，回转窑应设有防止窑体沿轴向滑移的措施；地脚螺栓的构造要求应符合本标准第10.4.6条的有关规定。

18.3.4 回转窑和竖窑的砌体填充墙应按下列规定检查：

1 砌体填充墙在平面和竖向布置宜均匀对称。

2 砌体填充墙宜与构架柱柔性连接。

3 砌体填充墙与构架柱为刚性连接时，应符合下列规定：

1）沿构架柱高每隔500mm应有2ϕ6拉筋，拉筋伸入填充墙内长度，6度、7度时不应小于墙长的1/5且不小于700mm，8度、9度时宜沿墙全长拉通。

2）墙长度大于5m时，墙顶部与梁宜有拉结措施；墙高度超过4m时，宜在墙高中部有与柱连接的通长钢筋混凝土水平系梁。

18.3.5 回转窑和竖窑基础设有钢筋混凝土抗震墙时，抗震墙的配筋与构造应符合本标准第6.3.7条的要求。

（Ⅱ）抗震承载力验算

18.3.6 8度Ⅲ、Ⅳ类场地和9度时，回转窑和竖窑基础可按本标准第6章有关B类框架结构抗震分析方法进行承载力验算。不满足验算要求时，应采取加固等措施。

18.3.7 8度Ⅲ、Ⅳ类场地和9度时，回转窑和竖窑的地脚螺栓应进行抗震验算。

19　高炉系统结构

19.1　一 般 规 定

19.1.1　本章适用于有效容积为 $1000m^3$～$5000m^3$ 的高炉系统结构抗震鉴定。

19.1.2　高炉系统结构应包括高炉、热风炉、除尘器和洗涤塔等结构。高炉系统结构应按 B 类构筑物进行抗震鉴定。

19.2　高　　炉

（Ⅰ）抗震措施鉴定

19.2.1　高炉结构的抗震鉴定，应重点检查下列部位和内容：

1　导出管与炉顶封板连接处的焊缝和母材，不应有严重烧损、变形或开裂。

2　高炉炉顶与炉体框架水平连接处的连接及构件，不应有损坏或缺失。

3　高炉炉壳不应有严重变形，炉壳开孔处不应有裂缝。

4　高炉上升管支座处的构件不应有变形和焊缝开裂。

5　当上升管与下降管采用球形节点连接时，连接处不应有损坏或开裂。

19.2.2　高炉结构的抗震鉴定，应按下列规定进行检查：

1　高炉应设有炉体框架。在炉顶处，炉体框架与炉体间应设有水平连接构件。

2　高炉的导出管应设有膨胀器，上升管与下降管的连接宜为球形节点。

3　7 度Ⅲ、Ⅳ类场地和 8 度、9 度时，高炉的炉体框架和炉顶框架宜符合下列规定：

1）炉顶框架和炉体框架均宜设有支撑系统，主要支撑杆件的长细比按压杆设计时不宜大于 120，按拉杆设计时不宜大于 150；中心支撑板件宽厚比限值宜符合表 19.2.2 的规定；

表 19.2.2 中心支撑板件宽厚比限值

板件名称	7 度	8 度	9 度
翼缘板外伸部分	10	9	8
工字形截面腹板	27	26	25

2）炉体框架和底部柱脚宜与基础固接；

3）框架梁、柱板件的宽厚比宜符合本标准第 7.3.4 条的规定。

4 电梯间、通道平台和高炉框架相互之间应有可靠连接。

19.2.3 上升管、炉顶框架、通廊端部和炉顶装料设备相互之间的水平空隙，宜符合下列规定：

1 7度Ⅲ、Ⅳ类场地和 8 度Ⅰ、Ⅱ场地时，不宜小于 200mm。

2 8 度Ⅲ、Ⅳ类场地和 9 度时，不宜小于 400mm。

（Ⅱ）抗震承载力验算

19.2.4 不符合本标准第 19.2.1～19.2.3 条有关抗震措施要求或 8 度Ⅲ、Ⅳ类场地和 9 度时，高炉结构应按现行国家标准《构筑物抗震设计规范》GB 50191 的抗震分析方法和本标准第 5 章的规定进行抗震承载力验算，不满足验算要求时，应采取加固等措施；应重点验算下列部位：

1 炉体框架和炉顶框架的柱、主梁、主要支撑及柱脚的连接。

2 上升管的支座、支座顶面处的上升管截面和支承支座的炉顶平台梁。

3 上升管与下降管为球形节点连接时，上升管和下降管与球形节点连接处及下降管的根部。

4 炉体框架与炉体顶部的水平连接。

19.3 热 风 炉

（Ⅰ）抗震措施鉴定

19.3.1 热风炉的抗震鉴定，应重点检查下列部位：

1 炉底与基础连接的锚栓不应有松动，其连接板件不应有变形和损坏。

2 炉壳与管道连接处焊缝和母材，不应有损坏、裂缝或严重变形。

3 炉壳不应有严重烧损和变形。

4 炉底钢板不应有严重翘曲，与基础之间不应有空隙。

5 有刚性连接管的外燃式热风炉，其连接管与炉壳的连接处不应有严重变形和裂缝。

6 外燃式热风炉燃烧室的钢支架梁与柱及支撑的连接，不应有损坏和开裂。

19.3.2 外燃式热风炉的燃烧室的支承结构为钢筋混凝土框架时，其抗震鉴定应符合本标准第 6 章有关 B 类框架结构的有关要求；其抗震构造措施，6 度～8 度时应符合二级框架结构的要求，9 度时应符合一级框架的要求。

19.3.3 外燃式热风炉的燃烧室为钢支架支承时，支架柱的长细比不宜大于 120；梁、柱板件宽厚比限值宜符合本标准表 7.3.4 的规定；柱脚与基础宜为固接，铰接时应设有抗剪键。

（Ⅱ）抗震承载力验算

19.3.4 不符合本标准第 19.3.1～19.3.3 条有关抗震措施要求或 8 度Ⅲ、Ⅳ类场地和 9 度时的内燃式、顶燃式热风炉和燃烧室为钢筒支承的外燃式热风炉，以及 7 度Ⅲ、Ⅳ类场地和 8 度、9 度时的燃烧室为支架支承的外燃式热风炉，应按现行国家标准

《构筑物抗震设计规范》GB 50191 的抗震分析分方法和本标准第5章的规定进行抗震承载力验算。不满足验算要求时，应采取加固等措施。

19.4 除尘器、洗涤塔

（Ⅰ）抗震措施鉴定

19.4.1 除尘器、洗涤塔的抗震鉴定，应重点检查下列部位：

1 下降管与除尘器的连接处，不应有严重变形和损坏。

2 除尘器和洗涤塔的筒体，不应有损坏。

3 筒体支座及其连接处，不应有损坏和松动。

4 支撑筒体的环梁及其与柱的连接，不应有变形和损坏。当筒体与环梁仅用螺栓连接时，其连接不应有松动和损坏。

5 旋风除尘器框架和重力除尘器支架梁与柱及其与支撑的连接，不应有变形和裂缝。

6 旋风除尘器框架和重力除尘器、洗涤塔支架与基础连接处，不应有损坏和空隙。

19.4.2 框架和支架为钢筋混凝土结构时，其抗震鉴定应符合本标准第6章有关B类框架的有关要求。其抗震构造措施，6度～8度时应符合二级框架结构的要求，9度时应符合一级框架的要求。

19.4.3 7度Ⅲ、Ⅳ类场地和8度、9度时，旋风除尘器、重力除尘器和洗涤塔宜符合下列规定：

1 筒体在支座处宜设有水平环梁。

2 筒体与支架以及支架柱脚与基础的连接宜设有抗剪措施。

3 管道与筒体的连接处宜设有加劲肋或局部增加钢壳厚度等加强措施。

4 旋风除尘器框架和重力除尘器钢支架主要支撑杆件的长细比，按压杆设计时不宜大于120，按拉杆设计时不宜大于150。

19.4.4 除尘器和洗涤塔为钢筋混凝土框架支承时，柱顶宜设有水平环梁。柱顶无水平环梁时，柱头应设置不少于两层直径为8mm的水平焊接钢筋网，钢筋间距不宜大于100mm。

（Ⅱ）抗震承载力验算

19.4.5 下列筒体和支承结构可不进行抗震验算，但应符合相应的抗震措施要求：

1 除尘器和洗涤塔的筒体结构。

2 6度、7度Ⅰ、Ⅱ类场地时，旋风除尘器的框架结构和重力除尘器的支架结构。

3 6度、7度和8度Ⅰ、Ⅱ类场地时，洗涤塔的支架结构。

19.4.6 不符合本标准第19.4.1～19.4.4条有关抗震措施要求或8度Ⅲ、Ⅳ类场地和9度时，重力除尘器、旋风除尘器和洗涤塔应按现行国家标准《构筑物抗震设计规范》GB 50191的抗震分析方法和本标准第5章的规定进行抗震承载力验算。不满足验算要求时，应采取加固等措施。

20 钢筋混凝土浓缩池、沉淀池、蓄水池

20.1 一般规定

20.1.1 本章适用于半地下式、地面式、架空式钢筋混凝土浓缩池、沉淀池、蓄水池的抗震鉴定。

20.1.2 现有钢筋混凝土浓缩池、沉淀池、蓄水池，应依据其设防烈度重点检查下列薄弱部位：

1 6度时，应检查易掉落伤人的水池附属部件与主体结构的连接情况。

2 7度时，除应按本条第1款检查外，尚应检查混凝土构件节点的连接方式。

3 8度、9度时，除应按本条第1、2款检查外，尚应检查混凝土构件的配筋、材料强度、各构件间的连接构造等。

20.1.3 浓缩池、沉淀池和蓄水池外观和内在质量，应符合下列规定：

1 混凝土构件可仅有少量微细裂缝或局部剥落，钢筋应无外露、锈蚀。

2 整体结构应无明显变形、倾斜或歪扭。

20.1.4 现有钢筋混凝土浓缩池、沉淀池和蓄水池的抗震鉴定，应按其结构形式、材料实际强度、钢筋配置以及抗震承载力的综合分析，对其抗震能力进行评定。

20.1.5 A类浓缩池、沉淀池、蓄水池应进行综合抗震能力两级鉴定。当符合第一级鉴定的各项规定时，应允许不进行抗震验算而评为满足抗震鉴定要求；不符合第一级鉴定要求时，除有明确规定的情况外，应在第二级鉴定中对其抗震承载力进行验算后，进行抗震能力评定。

B类浓缩池、沉淀池、蓄水池应进行抗震措施检查，并应对

其进行抗震承载力验算。

20.2 A类钢筋混凝土浓缩池、沉淀池、蓄水池抗震鉴定

（Ⅰ）第一级鉴定

20.2.1 池壁、池底厚度，均不宜小于150mm；混凝土强度等级，6度、7度时不应低于C13，8度、9度时不应低于C18。

20.2.2 池顶盖板采用装配式构件时，应符合下列规定：

1 盖板缝内应配置不少于1ϕ6钢筋，并应用M10水泥砂浆灌实。

2 板与梁连接应通过预埋件焊接连接，且不宜少于三点焊接。

3 9度时，宜设置厚度不小于40mm的钢筋混凝土叠合层。

4 顶盖在池壁上的搁置长度，不应小于200mm。

5 8度、9度时，池壁与顶盖应通过预埋件焊接连接。

20.2.3 池壁钢筋最小总配筋率和中心柱纵向钢筋最小总配筋率，应符合表20.2.3-1的规定。中心柱的箍筋配置，应符合表20.2.3-2要求。

表20.2.3-1 池壁和中心柱的最小总配筋率（%）

烈　度		6度、7度、8度	9度
池壁钢筋	竖向	0.35	0.45
	环向	0.45	0.55
中心柱纵向钢筋		0.35	0.50

表20.2.3-2 中心柱的箍筋配置

烈　度	6度、7度	8度	9度
最小直径（mm）	8	10	10
最大间距（mm）	250	200	150
加密区最大间距（mm）	10d，150	10d，150	8d，100
加密区范围	池底以上的1/6柱净高，且不应小于500mm，池底以下的柱全高		全高

20.2.4 架空式浓缩池、沉淀池、蓄水池框架柱轴压比限值，柱全部纵向受力钢筋最小配筋率，柱箍筋加密区体积配箍率以及柱的抗震构造措施，应符合本标准第6章有关A类框架结构的规定。弧形梁等应满足弯扭构件的构造要求。

20.2.5 钢筋混凝土浓缩池、沉淀池、蓄水池符合本标准第20.2.1～20.2.4条的各项规定时，可评为综合抗震能力满足要求；当遇下列情况之一时，应评为综合抗震能力不满足抗震要求，并应根据抗震验算结果确定其加固或其他措施：

1 中心柱、框架柱箍筋配置不满足要求。

2 8度、9度时，混凝土强度等级低于C13。

3 本标准第20.2.1～20.2.4条的其他规定有多项不符合要求。

（Ⅱ）第二级鉴定

20.2.6 A类钢筋混凝土浓缩池、沉淀池、蓄水池，可按国家现行有关标准的抗震计算分析方法和本标准第5章的规定进行抗震承载力验算。

20.3 B类钢筋混凝土浓缩池、沉淀池、蓄水池抗震鉴定

（Ⅰ）抗震措施鉴定

20.3.1 池壁、池底厚度均不应小于150mm。池壁混凝土强度等级，6度、7度时不应低于C18，8度、9度时不应低于C20。

20.3.2 池顶盖板采用装配式构件时，应符合下列规定：

1 盖板缝内应配置不少于1ϕ6钢筋，并应用M10水泥砂浆灌实。

2 板与梁连接应通过预埋件焊接连接，且不应少于三点焊接。

3 9度时，宜设置厚度不小于50mm的钢筋混凝土叠合层。

4 顶盖在池壁上的搁置长度，不得小于200mm。

5 7度～9度时，池壁与顶盖应通过预埋件焊接连接。

20.3.3 池壁钢筋最小总配筋率和中心柱纵向钢筋最小总配筋率，应符合表20.3.3-1的规定。中心柱的箍筋配置，应符合表20.3.3-2的要求。

表20.3.3-1 池壁和中心柱的最小总配筋率（%）

烈　度		6度、7度、8度	9度
池壁钢筋	竖向	0.40	0.45
	环向	0.50	0.55
中心柱纵向钢筋		0.40	0.55

表20.3.3-2 中心柱的箍筋配置

烈　度	6度、7度	8度	9度
最小直径（mm）	8	10	10
最大间距（mm）	200	200	100
加密区最大间距(mm)	$8d$，100	$8d$，100	$6d$，100
加密区范围	池底以上的1/6柱净高，且不应小于500mm，池底以下的柱全高		全高

20.3.4 架空式浓缩池、沉淀池、蓄水池框架柱轴压比限值，柱全部纵向受力钢筋最小配筋率，柱箍筋加密区体积配箍率以及柱的抗震构造措施，应符合本标准第6章有关B类框架结构的规定。其抗震等级，6度、7度时可按三级采用，8度、9度时可按二级采用。弧形梁等应满足弯扭构件的构造要求。

（Ⅱ）抗震承载力验算

20.3.5 符合本标准第20.3.1～20.3.4条有关抗震措施要求的下列钢筋混凝土浓缩池、沉淀池、蓄水池，可不进行抗震验算：

1 7度时的地面式池类。

2 7度时和8度时的半地下式池类。

20.3.6 B类钢筋混凝土浓缩池、沉淀池、蓄水池，应按国家现行有关标准的抗震分析方法和本标准第5章的规定进行抗震承载力验算。验算结果不满足要求时，应采取加固等措施。

21 砌体沉淀池、蓄水池

21.1 一 般 规 定

21.1.1 本章适用于砌体沉淀池、蓄水池的抗震鉴定。

21.1.2 砌体沉淀池、蓄水池，应依据其设防烈度重点检查下列薄弱部位：

1 6度时，应检查池壁厚度、实际达到的砂浆强度等级和砌筑质量、池壁交接处的连接，以及易掉落伤人的水池附属部件与主体结构的连接情况。

2 7度～9度时，除应符合本条第1款外，尚应检查池壁墙体布置的规则性，圈梁、构造柱与池壁墙体的连接构造等。

21.1.3 砌体沉淀池和蓄水池外观和内在质量，应符合下列规定：

1 砌体结构不应空鼓，应无严重酥碱和明显歪闪；

2 混凝土构件可仅有少量微细裂缝或局部剥落，钢筋应无外露、锈蚀。

3 整体结构应无明显变形、倾斜或歪扭。

21.1.4 当符合下列情况之一时，可不进行抗震验算，但应满足相应的抗震措施要求：

1 7度地面式沉淀池、蓄水池。

2 7度和8度时的半地下式沉淀池、蓄水池。

21.1.5 现有砌体沉淀池和蓄水池的抗震鉴定，应按结构形式、材料实际强度、构件连接，以及抗震承载力的综合分析，对其抗震能力进行评定。

21.1.6 A类砌体沉淀池、蓄水池应进行综合抗震能力两级鉴定。当符合第一级鉴定的各项规定时，应允许不进行抗震验算而评为满足抗震鉴定要求；不符合第一级鉴定时，除有明确规定的情况外，应在第二级鉴定中对其抗震承载力进行验算后作出判断。

B类砌体沉淀池、蓄水池应进行抗震措施检查，并应进行抗震承载力验算。

21.2 A类砌体沉淀池、蓄水池抗震鉴定

（Ⅰ）第一级鉴定

21.2.1 砌体浓缩池、沉淀池、蓄水池材料实际达到的强度等级，应符合下列规定：

1 普通砖实际达到的强度等级，不宜低于MU7.5，且不宜低于砌筑砂浆强度等级。

2 砌筑砂浆实际达到的强度等级，不宜低于M7.5。

3 砌筑石材实际达到的强度等级，不宜低于MU30。

4 构造柱、圈梁实际达到的混凝土强度等级，不应低于C13。

21.2.2 沉淀池和蓄水池的连接构造，应着重检查下列内容：

1 池壁构造柱的位置，宜符合表21.2.2-1的要求。

表21.2.2-1 A类砌体沉淀池、蓄水池构造柱设置要求

烈 度	设置部位
6度、7度	池壁四角，或环形水池间距不宜大于4.0m
8度、9度	池壁四角，或环形水池间距不宜大于3.0m，所有池壁墙体相交处，且沿墙体间距不宜大于3.0m

2 构造柱截面及配筋，宜符合下列规定：

1）构造柱截面不宜小于240mm×240mm；

2）纵向钢筋不宜少于4ϕ12，箍筋间距不宜大于250mm，且在柱上下端宜加密。

3 水池应设置圈梁，圈梁设置应符合表21.2.2-2的要求。

表 21.2.2-2 A类砌体沉淀池、蓄水池圈梁设置要求

烈 度	设置部位
6度、7度	池壁顶面周圈，池底周圈
8度、9度	池壁顶面周圈，池底周圈，且沿高度方向圈梁间距不宜大于3m

4 圈梁截面及配筋，宜满足下列规定：

1）圈梁截面不宜小于240mm×240mm；

2）纵向钢筋不宜少于4ϕ12，箍筋间距不宜大于250mm。

5 墙体相交处应咬槎较好；当为马牙槎砌筑或有钢筋混凝土构造柱时，沿墙高每500mm宜设有2ϕ6拉结钢筋。

6 无筋砌体的导流墙，宜与池壁、立柱或顶盖构件有可靠拉结措施。

（Ⅱ）第二级鉴定

21.2.3 A类砌体沉淀池、蓄水池，可按国家现行有关标准的抗震分析方法和本标准第5章的规定进行抗震承载力验算。验算结果不满足要求时，应采取加固等措施。

21.3 B类砌体沉淀池、蓄水池抗震鉴定

（Ⅰ）抗震措施鉴定

21.3.1 砌体沉淀池、蓄水池材料实际达到的强度等级，应符合下列规定：

1 普通砖实际达到的强度等级，不宜低于MU10，且不宜低于砌筑砂浆的强度等级。

2 砌筑砂浆实际达到的强度等级，不宜低于M10。

3 砌筑石材实际达到的强度等级，不宜低于MU30。

4 构造柱、圈梁实际达到的混凝土强度等级，不应低于C18。

21.3.2 整体性的连接构造，应着重检查下列内容：

1 池壁构造柱的设置，应符合表 21.3.2-1 的要求。

表 21.3.2-1 B 类砌体沉淀池、蓄水池构造柱设置要求

烈 度	设置部位
6 度、7 度	池壁四角，或环形水池间距不应大于 3.0m
8 度、9 度	池壁四角，或环形水池间距不应大于 2.5m，所有池壁墙体相交处，且沿墙体间距不宜大于 2.5m

2 构造柱截面及配筋，应符合下列规定：

1） 构造柱截面不应小于 240mm×240mm；

2） 纵向钢筋不宜少于 4ϕ14，箍筋间距不宜大于 200mm，且在柱上下端宜加密。

3 水池应设置圈梁，圈梁设置应满足表 21.3.2-2 的要求。

表 21.3.2-2 B 类砌体沉淀池、蓄水池圈梁设置要求

烈 度	设置部位
6 度、7 度	池壁顶面周圈，池底周圈
8 度、9 度	池壁顶面周圈，池底周圈，且沿高度方向圈梁间距不宜大于 3m

4 圈梁截面及配筋，应符合下列规定：

1） 圈梁截面不应小于 240mm×240mm；

2） 纵向钢筋不宜少于 4ϕ14，箍筋间距不宜大于 200mm。

5 墙体相交处应咬槎较好；当为马牙槎砌筑或有钢筋混凝土构造柱时，沿墙高每 500mm 应设有 2ϕ6 拉结钢筋。

（Ⅱ）抗震承载力验算

21.3.3 B 类砌体沉淀池、蓄水池，应按国家现行有关标准的抗震分析方法和本标准第 5 章的规定进行抗震承载力验算。验算结果不满足要求时，应采取加固等措施。

22 尾 矿 坝

22.1 一 般 规 定

22.1.1 本章适用于金属矿山等现有尾矿坝的抗震鉴定。

22.1.2 现有尾矿坝抗震设计标准低于现行国家标准《构筑物抗震设计规范》GB 50191 的要求或坝体参数改变时，应进行抗震鉴定。经鉴定不满足要求时，应采取加固等处理措施。

22.1.3 距尾矿坝 50m 内存在活动断裂时，尾矿坝的抗震等级应按同类等级提高一级进行鉴定。

22.1.4 现有尾矿坝应每 3 年至少进行一次抗震鉴定。当上游式尾矿坝坝体的堆筑高度达到设计坝高的 1/2～2/3 时，尚应进行一次抗震鉴定。

22.1.5 尾矿坝的抗震鉴定，应重点检查下列内容：

1 尾矿坝坝址，是否处于抗震不利地段或危险地段。

2 坝基工程地质和水文地质条件。

3 是否采取了降低浸润线和加强坝体抗滑稳定性的有效措施。

4 实际堆积坡比、库容、坝高是否满足设计要求。

5 干滩长度、最小干滩是否符合设计要求。

6 排水、排渗设施是否齐全，排洪能力是否满足要求。

7 坝面是否存在严重滑坡、裂缝、沼泽化、流土管涌、冲沟等现象。

22.1.6 尾矿坝的抗震等级，应按现行国家标准《构筑物抗震设计规范》GB 50191 规定确定。

22.2 抗震措施鉴定

22.2.1 上游式筑坝工艺的尾矿坝外坡坡度，不宜大于 14°。

22.2.2 尾矿坝的干滩长度，不应小于坝体高度，且不宜小于40m。

22.2.3 一级、二级、三级尾矿坝下游坡面浸润线埋深，不宜小于6m；四级、五级尾矿坝不宜小于4m。

22.2.4 一级、二级、三级的尾矿坝，应设置坝体变形和浸润线等监测装置。

22.2.5 提高尾矿坝地震稳定性，可选用下列抗震构造措施：

1 控制尾矿坝的上升速度。

2 放缓下游坝坡的坡度。

3 在坝基和坝体内部设置排渗设施。

4 在下游坝坡设置排渗井等设施。

5 在坝的下游坡面增设反压体。

6 采用加密法加固下游坝坡和沉积滩。

22.3 抗震验算

22.3.1 6度时，四、五级尾矿坝可不进行抗震验算，但应满足相应的抗震措施要求。

22.3.2 9度时，除应进行抗震验算外，尚应采取专门研究的抗震措施。

22.3.3 8度和9度时，一级、二级、三级尾矿坝的抗震验算应同时计入竖向地震作用。竖向地震动参数应取水平地震动参数的2/3。

22.3.4 尾矿坝的抗震验算，应包括地震液化分析和地震稳定分析；一级、二级、三级的尾矿坝，尚应进行地震永久变形分析。经鉴定可能产生地震液化的尾矿坝，尚应验算地震时坝体的抗滑移稳定性。

22.3.5 尾矿坝的抗震验算应符合现行国家标准《构筑物抗震设计规范》GB 50191的有关规定。

附录 A　砌体、混凝土、钢筋材料性能设计指标

A.0.1　砌体非抗震设计的抗剪强度标准值与设计值应分别按表 A.0.1-1 和表 A.0.1-2 采用。

表 A.0.1-1　砌体非抗震设计的抗剪强度标准值（N/mm^2）

砌体类别	砂浆强度等级					
	M10	M7.5	M5	M2.5	M1	M0.4
普通砖、多孔砖	0.27	0.23	0.19	0.13	0.08	0.05
粉煤灰中砌块	0.07	0.06	0.05	0.04	—	—
混凝土中砌块	0.11	0.10	0.08	0.06	—	—
混凝土小砌块	0.15	0.13	0.10	0.07	—	—

表 A.0.1-2　砌体非抗震设计的抗剪强度设计值（N/mm^2）

砌体类别	砂浆强度等级					
	M10	M7.5	M5	M2.5	M1	M0.4
普通砖、多孔砖	0.18	0.15	0.12	0.09	0.06	0.04
粉煤灰中砌块	0.05	0.04	0.03	0.02	—	—
混凝土中砌块	0.08	0.06	0.05	0.04	—	—
混凝土小砌块	0.10	0.08	0.07	0.05	—	—

A.0.2　混凝土强度标准值与设计值应分别按表 A.0.2-1 和表 A.0.2-2 采用。

表 A.0.2-1　混凝土强度标准值（N/mm^2）

强度种类	符号	混凝土强度等级													
		C13	C15	C18	C20	C23	C25	C28	C30	C35	C40	C45	C50	C55	C60
轴心抗压	f_{ck}	8.7	10.0	12.1	13.5	15.4	17.0	18.8	20.0	23.5	27.0	29.5	32.0	34.0	36.0
弯曲抗压	f_{cmk}	9.6	11.0	13.3	15.0	17.0	18.5	20.6	22.0	26.0	29.5	32.5	35.0	37.5	39.5
轴心抗拉	f_{tk}	1.0	1.2	1.35	1.5	1.65	1.75	1.85	2.0	2.25	2.45	2.6	2.75	2.85	2.95

表 A.0.2-2　混凝土强度设计值（N/mm^2）

强度种类	符号	混凝土强度等级													
		C13	C15	C18	C20	C23	C25	C28	C30	C35	C40	C45	C50	C55	C60
轴心抗压	f_c	6.5	7.5	9.0	10.0	11.0	12.5	14.0	15.0	17.5	19.5	21.5	23.5	25.0	26.5
弯曲抗压	f_{cm}	7.0	8.5	10.0	11.0	12.3	13.5	15.0	16.5	19.0	21.5	23.5	26.0	27.5	29.0
轴心抗拉	f_t	0.8	0.9	1.0	1.1	1.2	1.3	1.4	1.5	1.65	1.8	1.9	2.0	2.1	2.2

A.0.3　钢筋强度标准值与设计值应分别按表 A.0.3-1 和表 A.0.3-2 采用。

表 A.0.3-1　钢筋强度标准值（N/mm^2）

种类		f_{yk}或f_{pyk}或f_{ptk}
热轧钢筋	HPB235（Q235）	235
	HRB335［20MnSi、20MnNb（b）］ （1996 年以前的 d=28～40）	335 （315）
	（1996 年以前的Ⅲ级 25MnSi）	（370）
	HRB400（20MnSiV、20MnTi、K20MnSi）	400
热处理钢筋	40Si2Mn（d=6） 48Si2Mn（d=8.2） 45Si2Cr（d=10）	1470

表 A.0.3-2　钢筋强度设计值（N/mm^2）

种　　类		f_y 或 f_{py}	f'_y 或 f'_{py}
热轧钢筋	HPB235（Q235）	210	210
	HRB335［20MnSi、20MnNb（b）］ （1996 年以前的 d=28～40）	310 （290）	310 （290）
	（1996 年以前的Ⅲ级 25MnSi）	（340）	（340）
	HRB400（20MnSiV、20MnTi、K20MnSi）	360	360
热处理钢筋	40Si2Mn（d=6） 48Si2Mn（d=8.2） 45Si2Cr（d=10）	1000	400

A. 0. 4 钢筋的弹性模量应按表 A. 0. 4 采用。

表 A. 0. 4 钢筋的弹性模量（N/mm^2）

种 类	E_s
HPB235	2.1×10^5
HRB335、HRB400	2.0×10^5

附录B 砌体结构抗震承载力验算

B.0.1 现有砌体结构的抗震分析，可采用底部剪力法，并可按现行国家标准《建筑抗震设计规范》GB 50011 规定只选择从属面积较大或竖向应力较小的墙段进行抗震承载力验算；当抗震措施不满足国家标准《建筑抗震鉴定标准》GB 50023－2009 第5.3.1～5.3.11条要求时，可按国家标准《建筑抗震鉴定标准》GB 50023－2009 第5.2节有关第二级鉴定的方法综合计入构造的整体影响和局部影响，其中，当构造柱或芯柱的设置不满足国家标准《建筑抗震鉴定标准》GB 50023－2009 第5.2节的相关规定时，体系影响系数尚应根据不满足程度乘以0.8～0.95的系数。当场地处于本标准第4.1.3条规定的不利地段时，尚应乘以增大系数1.1～1.6。

B.0.2 各类砌体沿阶梯形截面破坏的抗震抗剪强度设计值，应按下式确定：

$$f_{vE} = \zeta_N f_v \quad (B.0.2)$$

式中：f_{vE} ——砌体沿阶梯形截面破坏的抗震抗剪强度设计值；

f_v ——非抗震设计的砌体抗剪强度设计值，按本标准表A.0.1-2采用；

ζ_N ——砌体抗震抗剪强度的正应力影响系数，可按表B.0.2采用。

表B.0.2 砌体抗震抗剪强度的正应力影响系数

砌体类别	σ_0/f_v								
	0.0	1.0	3.0	5.0	7.0	10.0	15.0	20.0	25.0
普通砖、多孔砖	0.80	1.00	1.28	1.50	1.70	1.95	2.32	—	—
粉煤灰中砌块 混凝土中砌块	—	1.18	1.54	1.90	2.20	2.65	3.40	4.15	4.90
混凝土小砌块	—	1.25	1.75	2.25	2.60	3.10	3.95	4.80	—

注：σ_0 为对应于重力荷载代表值的砌体截面平均压应力。

B.0.3 普通砖、多孔砖、粉煤灰中砌块和混凝土中砌块墙体的截面抗震承载力，应按下式验算：

$$V \leqslant f_{vE}A/\gamma_{RE} \quad (B.0.3)$$

式中：V ——墙体剪力设计值；

f_{vE} ——砌体沿阶梯形截面破坏的抗震抗剪强度设计值；

A ——墙体横截面面积；

γ_{RE} ——承载力抗震调整系数，应按本标准第 5.3.2 条规定采用。

B.0.4 当按本标准公式（B.0.3）验算不满足时，可计入设置于墙段中部、截面不小于 240mm×240mm 且间距不大于 4m 的构造柱对受剪承载力的提高作用，可按下列简化方法验算：

$$V \leqslant [\eta_c f_{vE}(A-A_c)+\zeta f_t A_c+0.08 f_y A_s]/\gamma_{RE} \quad (B.0.4)$$

式中：A_c——中部构造柱的横截面总面积，对横截面和内纵墙，$A_c>0.15A$ 时，取 $0.15A$；对外纵墙，$A_c>0.25A$ 时，取 $0.25A$；

f_t——中部构造柱的混凝土轴心抗拉强度设计值，按本标准表 A.0.2-2 采用；

A_s——中部构造柱的纵向钢筋截面总面积，配筋率不小于 0.6%，大于 1.4%取 1.4%；

f_y——钢筋抗拉强度设计值，按本标准表 A.0.3-2 采用；

ζ——中部构造柱参与工作系数；居中设一根时取 0.5，多于一根取 0.4；

η_c——墙体约束修正系数；一般情况下取 1.0，构造柱间距不大于 2.8m 时取 1.1。

B.0.5 横向配筋普通砖、多孔砖墙的截面抗震承载力，应按下式验算：

$$V \leqslant (f_{vE}A+0.15 f_y A_s)/\gamma_{RE} \quad (B.0.5)$$

式中：A_s ——层间竖向截面中钢筋总截面面积。

B.0.6 混凝土小砌块墙体的截面抗震承载力，应按下式验算：

$$V \leqslant [f_{vE}A+(0.3 f_t A_c+0.05 f_y A_s)\zeta_c]/\gamma_{RE} \quad (B.0.6)$$

式中：f_t ——芯柱混凝土轴心抗拉强度设计值，按本标准表A.0.2-2采用；

A_c ——芯柱截面总面积；

A_s ——芯柱钢筋截面总面积；

ζ_c ——芯柱影响系数，可按表B.0.6采用。

表 B.0.6 芯柱影响系数

填孔率 ρ	$\rho<0.15$	$0.15\leqslant\rho<0.25$	$0.25\leqslant\rho<0.5$	$\rho\geqslant0.5$
ζ_c	0.0	1.0	1.10	1.15

注：填孔率指芯柱根数与孔洞总数之比。

B.0.7 各层层高相当且较规则均匀的多层砌体结构，尚可按国家标准《建筑抗震鉴定标准》GB 50023－2009 第 5.2.12～5.2.15 条的规定采用楼层综合抗震能力指数的方法进行综合抗震能力验算。其中，国家标准《建筑抗震鉴定标准》GB 50023－2009 中公式（5.2.13）中的烈度影响系数，6 度、7 度、8 度、9 度时应分别按 0.7、1.0、2.0 和 4.0 采用，设计基本地震加速度为 0.15g 和 0.30g 时应分别按 1.5 和 3.0 采用。

附录C　钢筋混凝土结构楼层受剪承载力

C.0.1　钢筋混凝土结构楼层现有受剪承载力，应按下式计算：

$$V_{y}=\Sigma V_{cy}+0.7\Sigma V_{my}+0.7\Sigma V_{wy} \tag{C.0.1}$$

式中：V_{y}——楼层现有受剪承载力；

ΣV_{cy}——框架柱层间现有受剪承载力之和；

ΣV_{my}——砖填充墙框架层间现有受剪承载力之和；

ΣV_{wy}——抗震墙层间现有受剪承载力之和。

C.0.2　矩形框架柱层间现有受剪承载力可按下列公式计算，并应取较小值：

$$V_{cy}=\frac{M_{cy}^{u}+M_{cy}^{L}}{H_{n}} \tag{C.0.2-1}$$

$$V_{cy}=\frac{0.16}{\lambda+1.5}f_{ck}bh_{0}+f_{yvk}\frac{A_{sv}}{s}h_{0}+0.056N \tag{C.0.2-2}$$

式中：M_{cy}^{u}、M_{cy}^{L}——分别为验算层偏压柱上、下端的现有受弯承载力；

λ——框架柱的计算剪跨比，取$\lambda=H_{n}/2h_{0}$；

N——对应于重力荷载代表值的柱轴向压力，当$N>0.3f_{ck}bh$时，取$N=0.3f_{ck}bh$；

A_{sv}——配置在同一截面内箍筋各肢的截面面积；

f_{yvk}——箍筋抗拉强度标准值，按本标准表A.0.3-1采用；

f_{ck}——混凝土轴心抗压强度标准值，按本标准表A.0.2-1采用；

s——箍筋间距；

b——验算方向柱截面宽度；

h、h_0——分别为验算方向柱截面高度、有效高度；

H_n——框架柱净高。

C.0.3 对称配筋矩形截面偏压柱现有受弯承载力，可按下列公式计算：

当 $N \leqslant \xi_{bk} f_{cmk} b h_0$ 时：

$$M_{cy} = f_{yk} A_s (h_0 - a'_s) + 0.5Nh(1 - N/f_{cmk}bh) \tag{C.0.3-1}$$

当 $N > \xi_{bk} f_{cmk} b h_0$ 时：

$$M_{cy} = f_{yk} A_s (h_0 - a'_s) + \xi(1 - 0.5\xi) f_{cmk} b h_0^2 - N(0.5h - a'_s) \tag{C.0.3-2}$$

$$\xi = [(\xi_{bk} - 0.8)N - \xi_{bk} f_{yk} A_s]/[(\xi_{bk} - 0.8) f_{cmk} b h_0 - f_{yk} A_s] \tag{C.0.3-3}$$

式中：N——对应于重力荷载代表值的柱轴向压力；

A_s——柱实有纵向受拉钢筋截面面积；

f_{yk}——现有钢筋抗拉强度标准值，按本标准表 A.0.3-1 采用；

f_{cmk}——现有混凝土弯曲抗压强度标准值，按本标准表 A.0.2-1 采用；

a'_s——受压钢筋合力点至受压边缘的距离；

ξ_{bk}——相对界限受压区高度，HPB 级钢取 0.6，HRB 级钢取 0.55；

h、h_0——分别为柱截面高度和有效高度；

b——柱截面宽度。

C.0.4 砖填充墙钢筋混凝土框架结构的层间现有受剪承载力，可按下列公式计算：

$$V_{my} = \sum(M_{cy}^{u} + M_{cy}^{L})/H_0 + f_{vEk} A_m \tag{C.0.4-1}$$

$$f_{vEk} = \zeta_N f_{vk} \tag{C.0.4-2}$$

式中：ζ_N——砌体强度的正应力影响系数，按本标准表 B.0.2 采用；

f_{vk}——砖墙的抗剪强度标准值，按本标准表 A.0.1-1

采用；

A_m ——砖填充墙水平截面面积，可不计入宽度小于洞口高度 1/4 的墙肢；

H_0 ——柱的计算高度，两侧有填充墙时，可采用柱净高的 2/3；一侧有填充墙时，可采用柱净高。

C.0.5 带边框柱的钢筋混凝土抗震墙的层间现有受剪承载力可按下式计算：

$$V_{wy}=\frac{1}{\lambda-0.5}(0.04f_{ck}A_w+0.1N)+0.8f_{yvk}\frac{A_{sh}}{s}h_0 \tag{C.0.5}$$

式中：N——对应于重力荷载代表值的柱轴向压力，当 $N>0.2f_{ck}A_w$ 时，取 $N=0.2f_{ck}A_w$；

A_w ——抗震墙的截面面积；

A_{sh} ——配置在同一水平截面内的水平钢筋截面面积；

λ ——抗震墙的计算剪跨比；其值可采用计算楼层至该抗震墙顶的 1/2 高度与抗震墙截面高度之比，当小于 1.5 时取 1.5，当大于 2.2 时取 2.2。

附录 D　钢筋混凝土构件组合内力设计值调整

D.0.1　框架梁和抗震墙中跨高比大于 2.5 的连梁，端部截面组合的剪力设计值应按下列公式计算：

一级

$$V = 1.05(M_{\mathrm{bua}}^{\mathrm{l}} + M_{\mathrm{bua}}^{\mathrm{r}})/l_{\mathrm{n}} + V_{\mathrm{Gb}} \tag{D.0.1-1}$$

或

$$V = 1.05\lambda_{\mathrm{b}}(M_{\mathrm{b}}^{\mathrm{l}} + M_{\mathrm{b}}^{\mathrm{r}})/l_{\mathrm{n}} + V_{\mathrm{Gb}} \tag{D.0.1-2}$$

二级

$$V = 1.05(M_{\mathrm{b}}^{\mathrm{l}} + M_{\mathrm{b}}^{\mathrm{r}})/l_{\mathrm{n}} + V_{\mathrm{Gb}} \tag{D.0.1-3}$$

三级

$$V = (M_{\mathrm{b}}^{\mathrm{l}} + M_{\mathrm{b}}^{\mathrm{r}})/l_{\mathrm{n}} + V_{\mathrm{Gb}} \tag{D.0.1-4}$$

式中：λ_{b}——梁实配增大系数，可按梁的左右端纵向受拉钢筋的实际配筋面积之和与计算面积之和的比值的 1.1 倍采用；

l_{n}——梁的净跨；

V_{Gb}——梁在重力荷载代表值（9 度时还应包括竖向地震作用标准值）作用下，按简支梁分析的梁端截面剪力设计值；

$M_{\mathrm{b}}^{\mathrm{l}}$、$M_{\mathrm{b}}^{\mathrm{r}}$——分别为梁的左右端顺时针或反时针方向截面组合的弯矩设计值；

$M_{\mathrm{bua}}^{\mathrm{l}}$、$M_{\mathrm{bua}}^{\mathrm{r}}$——分别为梁左右端顺时针或反时针方向实配的正截面抗震受弯承载力所对应的弯矩值，可根据实际配筋面积和材料强度标准值确定。

D.0.2　一、二级框架的梁柱节点处，除顶层和柱轴压比小于

0.15者外，梁柱端弯矩应分别符合下列公式要求：

一级

$$\sum M_c = 1.1\sum M_{bua} \quad (D.0.2\text{-}1)$$

或

$$\sum M_c = 1.1\lambda_j \sum M_b \quad (D.0.2\text{-}2)$$

二级

$$\sum M_c = 1.1\sum M_b \quad (D.0.2\text{-}3)$$

式中：$\sum M_c$ ——节点上下柱端顺时针或反时针方向截面组合的弯矩设计值之和，上下柱端的弯矩，一般情况可按弹性分析分配；

$\sum M_b$ ——节点左右梁端反时针或顺时针方向截面组合的弯矩设计值之和；

$\sum M_{bua}$ ——节点左右梁端反时针或顺时针方向实配的正截面抗震受弯承载力所对应的弯矩值之和；

λ_j ——柱实配弯矩增大系数，可按节点左右梁端纵向受拉钢筋的实际配筋面积之和与计算面积之和的比值的1.1倍采用。

D.0.3 一、二级框架结构的底层柱底和框支层柱两端组合的弯矩设计值，应分别乘以增大系数1.5、1.25。

D.0.4 框架柱和框支柱端部截面组合的剪力设计值，一、二级应按下列各式调整，三级可不调整：

一级

$$V = 1.1(M_{cua}^u + M_{cua}^l)/H_n \quad (D.0.4\text{-}1)$$

或

$$V = 1.1\lambda_c(M_c^u + M_c^l)/H_n \quad (D.0.4\text{-}2)$$

二级

$$V = 1.1(M_c^u + M_c^l)/H_n \quad (D.0.4\text{-}3)$$

式中： λ_c ——柱实配受剪增大系数，可按偏压柱上、下端实配的正截面抗震承载力所对应的弯矩值之和与其组合的弯矩设计值之和的比值采用；

H_n ——柱的净高；

M_c^u、M_c^l ——分别为柱上、下端顺时针或反时针方向截面组合的弯矩设计值，应符合第 D.0.2、D.0.3 条的要求；

M_{cua}^u、M_{cua}^l ——分别为柱上、下端顺时针或反时针方向实配的正截面抗震承载力所对应的弯矩值，可根据实际配筋面积、材料强度标准值和轴向压力等确定。

D.0.5 框架节点核芯区组合的剪力设计值，一、二级可按下列各式调整：

一级

$$V_j = \frac{1.05\Sigma M_{bua}}{h_{b0} - a'_s}\left(1 - \frac{h_{b0} - a'_s}{H_c - h_b}\right) \qquad (D.0.5\text{-}1)$$

或

$$V_j = \frac{1.05\lambda_j \Sigma M_b}{h_{b0} - a'_s}\left(1 - \frac{h_{b0} - a'_s}{H_c - h_b}\right) \qquad (D.0.5\text{-}2)$$

二级

$$V_j = \frac{1.05\Sigma M_b}{h_{b0} - a'_s}\left(1 - \frac{h_{b0} - a'_s}{H_c - h_b}\right) \qquad (D.0.5\text{-}3)$$

式中：V_j ——节点核芯区组合的剪力设计值；

h_{b0} ——梁截面的有效高度，节点两侧梁截面高度不等时可采用平均值；

a'_s ——梁受压钢筋合力点至受压边缘的距离；

H_c ——柱的计算高度，可采用节点上、下柱反弯点之间的距离；

h_b ——梁的截面高度，节点两侧梁截面高度不等时可采用平均值。

D.0.6 抗震墙底部加强部位截面组合的剪力设计值，一、二级应乘以下列增大系数，三级可不乘以增大系数：

一级

$$\eta_v = 1.1\frac{M_{wua}}{M_w} = 1.1\lambda_w \tag{D.0.6-1}$$

二级

$$\eta_v = 1.1 \tag{D.0.6-2}$$

式中：η_v——墙剪力增大系数；

λ_w——墙实配增大系数，可按抗震墙底部实配的正截面抗震承载力所对应的弯矩值与其组合的弯矩设计值的比值采用；

M_{wua}——抗震墙底部实配的正截面抗震承载力所对应的弯矩值，可按实际配筋面积、材料强度标准值和轴向力等确定；

M_w——抗震墙底部组合的弯矩设计值。

D.0.7 双肢抗震墙中，当任一墙肢全截面平均出现拉应力且处于大偏心受拉状态时，另一墙肢组合的剪力设计值、弯矩设计值应乘以增大系数 1.25。

D.0.8 一级抗震墙中，单肢墙、小开洞墙或弱连梁联肢墙各截面组合的弯矩设计值，应按下列规定采用：

1 底部加强部位各截面均应按墙底组合的弯矩设计值采用，墙顶组合的弯矩设计值应按顶部的约束弯矩设计值采用，中间各截面组合的弯矩设计值应按墙底组合的弯矩设计值和顶部的约束弯矩设计值间的线性变化采用。

2 底部加强部位的最上部截面按纵向钢筋实际面积和材料强度标准值计算的实际正截面承载力，不应大于相邻的一般部位实际的正截面承载力。

附录E　钢筋混凝土构件截面抗震验算

E.0.1　框架梁、柱、抗震墙和连梁，其端部截面组合的剪力设计值应符合下式要求：

$$V \leqslant \frac{1}{\gamma_{RE}}(0.2 f_c b h_0) \tag{E.0.1}$$

式中：V——端部截面组合的剪力设计值，应按本标准附录D的规定采用；

f_c——混凝土轴心抗压强度设计值，可按本标准表A.0.2-2采用；

b——梁、柱截面宽度或抗震墙墙板厚度；

h_0——截面有效高度，抗震墙可取截面高度。

E.0.2　框架梁的正截面抗震承载力，应按下式计算：

$$M_b \leqslant \frac{1}{\gamma_{RE}}\left[f_{cm} b x (h_0 - \frac{x}{2}) + f'_y A'_s (h_0 - a'_s)\right] \tag{E.0.2}$$

式中：M_b——框架梁组合的弯矩设计值，应按本标准附录D的规定采用；

f_{cm}——混凝土弯曲抗压强度设计值，按本标准表A.0.2-2采用；

f'_y——受压钢筋屈服强度设计值，按本标准表A.0.3-2采用；

A'_s——受压纵向钢筋截面面积；

a'_s——受压区纵向钢筋合力点至受压区边缘的距离；

x——混凝土受压区高度，一级框架应满足 $x \leqslant 0.25h_0$ 的要求，二、三级框架应满足 $x \leqslant 0.35h_0$ 的要求。

E.0.3　混凝土受压区高度应按下式计算：

$$f_{cm} b x = f_y A_s - f'_y A'_s \tag{E.0.3}$$

式中：f_y——受拉钢筋屈服强度设计值，按本标准表A.0.3-2采用；

A_s——受拉纵向钢筋截面面积；

E.0.4 框架梁的斜截面抗震承载力，应按下列公式计算，公式(E.0.4-2)可用于集中荷载作用下的框架梁（包括有多种荷载，且其中集中荷载对节点边缘产生的剪力值占总剪力值的75%以上的情况）：

$$V_b \leqslant \frac{1}{\gamma_{RE}}\left(0.056 f_c b h_0 + 1.2 f_{yv} \frac{A_{sv}}{s} h_0\right) \quad \text{(E.0.4-1)}$$

$$V_b \leqslant \frac{1}{\gamma_{RE}}\left(\frac{0.16}{\lambda + 1.5} f_c b h_0 + f_{yv} \frac{A_{sv}}{s} h_0\right) \quad \text{(E.0.4-2)}$$

式中：V_b——框架梁组合的剪力设计值，应按本标准附录D的规定采用；

f_{yv}——箍筋的抗拉强度设计值；

A_{sv}——配置在同一截面内箍筋各肢的全部截面面积；

s——箍筋间距；

λ——计算截面的剪跨比。

E.0.5 偏心受压框架柱、抗震墙的正截面抗震承载力，应符合下列规定：

1 应按下列公式验算：

$$N \leqslant \frac{1}{\gamma_{RE}}(f_{cm} b x + f'_y A'_s - \sigma_s A_s) \quad \text{(E.0.5-1)}$$

$$Ne \leqslant \frac{1}{\gamma_{RE}}\left[f_{cm} b x \left(h_0 - \frac{x}{2}\right) + f'_y A'_s (h_0 - a'_s)\right] \quad \text{(E.0.5-2)}$$

$$e = \eta e_i + \frac{h}{2} - a \quad \text{(E.0.5-3)}$$

$$e_i = e_0 + 0.12(0.3h_0 - e_0) \quad \text{(E.0.5-4)}$$

式中：N——组合的轴向压力设计值；

e——轴向力作用点至普通受拉钢筋合力点之间的距离；

e_0——轴向力对截面重心的偏心距，$e_0 = M/N$；

η——偏心受压构件计入挠曲影响的轴向力偏心距增大系数，按现行国家标准《混凝土结构设计规范》GB 50010 的规定计算；

σ_s——纵向钢筋的应力，按本条第 2 款的规定采用。

2 纵向钢筋的应力计算，应符合下列规定：

大偏心受压：

$$\sigma_s = f_y \tag{E.0.5-5}$$

小偏心受压：

$$\sigma_s = \frac{f_y}{\xi_b - 0.8}\left(\frac{x}{h_{0i}} - 0.8\right) \tag{E.0.5-6}$$

$$\xi_b = \frac{0.8}{1 + f_y/0.0033E_s} \tag{E.0.5-7}$$

式中：E_s——钢筋的弹性模量，按本标准表 A.0.4 采用；

h_{0i}——第 i 层纵向钢筋截面重心至混凝土受压区边缘的距离。

E.0.6 偏心受拉框架柱、抗震墙的正截面抗震承载力，应符合下列规定：

1 小偏心受拉构件应按下列公式计算：

$$Ne \leqslant \frac{1}{\gamma_{RE}} f'_y A'_s (h_0 - a'_s) \tag{E.0.6-1}$$

$$Ne' \leqslant \frac{1}{\gamma_{RE}} f'_y A_s (h_0 - a_s) \tag{E.0.6-2}$$

2 大偏心受拉构件应按下列公式计算：

$$N \leqslant \frac{1}{\gamma_{RE}} (f_y A_s - f'_y A'_s) \tag{E.0.6-3}$$

$$Ne \leqslant \frac{1}{\gamma_{RE}} \left[f_{cm} bx \left(h_0 - \frac{x}{2}\right) + f'_y A'_s (h_0 - a'_s) \right] \tag{E.0.6-4}$$

E.0.7 框架柱的斜截面抗震承载力，应按下列公式计算，公式（E.0.7-2）可用于当框架柱出现拉力的情况：

$$V_c \leqslant \frac{1}{\gamma_{RE}} \left(\frac{0.16}{\lambda + 1.5} f_c b h_0 + f_{yv} \frac{A_{sv}}{s} h_0 + 0.056N \right) \tag{E.0.7-1}$$

$$V_c \leqslant \frac{1}{\gamma_{RE}}\left(\frac{0.16}{\lambda+1.5}f_c b h_0 + f_{yv}\frac{A_{sv}}{s}h_0 - 0.16N\right)$$

(E.0.7-2)

式中：V_c ——框架柱组合的剪力设计值，应按本标准附录 D 的规定采用；

λ ——框架柱的计算剪跨比，$\lambda = H_n/2h_0$；当 $\lambda < 1$ 时，取 $\lambda = 1$；当 $\lambda > 3$ 时，取 $\lambda = 3$；

N ——框架柱组合的轴向压力设计值；当 $N > 0.3f_c A$ 时，取 $N = 0.3f_c A$。

E.0.8 抗震墙的斜截面抗震承载力，应按下列公式计算：

偏心受压：

$$V_w \leqslant \frac{1}{\gamma_{RE}}\left[\frac{1}{\lambda-0.5}\left(0.04f_c b h_0 + 0.1N\frac{A_w}{A}\right) + 0.8f_{yv}\frac{A_{sh}}{s}h_0\right]$$

(E.0.8-1)

偏心受拉：

$$V_w \leqslant \frac{1}{\gamma_{RE}}\left[\frac{1}{\lambda-0.5}\left(0.04f_c b h_0 - 0.1N\frac{A_w}{A}\right) + 0.8f_{yv}\frac{A_{sh}}{s}h_0\right]$$

(E.0.8-2)

式中：V_w ——抗震墙组合的剪力设计值，应按本标准附录 D 的规定采用；

λ ——计算截面处的剪跨比，$\lambda = M/Vh_0$；当 $\lambda < 1.5$ 时，取 $\lambda = 1.5$；当 $\lambda > 2.2$ 时，取 $\lambda = 2.2$。

E.0.9 节点核芯区组合的剪力设计值，应符合下列规定：

1 剪力设计值可按下列公式验算：

$$V_j \leqslant \frac{1}{\gamma_{RE}}(0.3\eta_j f_c b_j h_j) \qquad (E.0.9\text{-}1)$$

$$V_j \leqslant \frac{1}{\gamma_{RE}}\left(0.1\eta_j f_c b_j h_j + 0.1\eta_j N\frac{b_j}{b_c} + f_{yv}A_{svj}\frac{h_{b0}-a'_s}{s}\right)$$

(E.0.9-2)

式中：V_j ——节点核芯区组合的剪力设计值，应按本标准第

D.0.5 条的规定采用；

η_j ——交叉梁的约束影响系数，四侧各梁截面宽度不小于该侧柱截面宽度的 1/2，且次梁高度不小于主梁高度的 3/4，可采用 1.5，其他情况均可采用 1.0；

N ——对应于组合的剪力设计值的上柱轴向压力，其取值不应大于柱截面面积和混凝土抗压强度设计值乘积的 50%；

f_{yv} ——箍筋的抗拉强度设计值；

A_{svj} ——核芯区验算宽度范围内同一截面验算方向各肢箍筋的总截面面积；

s ——箍筋间距；

b_j ——节点核芯区的截面宽度，按本条第 2 款的规定采用；

h_j ——节点核芯区的截面高度，可采用验算方向的柱截面高度。

2 核芯区截面宽度，应符合下列规定：

1）当验算方向的梁截面宽度不小于该侧柱截面宽度的 1/2 时，可采用该侧柱截面宽度，当小于时可采用下列公式结果的较小值：

$$b_j = b_b + 0.5h_c \quad \text{(E.0.9-3)}$$

$$b_j = b_c \quad \text{(E.0.9-4)}$$

式中：b_b ——梁截面宽度；

h_c ——验算方向的柱截面高度；

b_c ——验算方向的柱截面宽度。

2）当梁柱的中线不重合时，核芯区的截面宽度可采用公式（E.0.9-3）、公式（E.0.9-4）和下式计算结果的较小值：

$$b_j = 0.5(b_b + b_c) + 0.25h_c - e \quad \text{(E.0.9-5)}$$

式中：e ——梁与柱中线偏心距。

E.0.10 抗震墙结构框支层楼板的截面抗震验算，应符合下列规定：

1 截面抗震可按下列公式验算：

$$V_{f} \leqslant \frac{1}{\gamma_{RE}}(0.1 f_{c} b_{f} t_{f}) \quad (E.0.10\text{-}1)$$

$$V_{f} \leqslant \frac{1}{\gamma_{RE}}(0.6 f_{y} A_{s}) \quad (E.0.10\text{-}2)$$

式中：V_{f} ——由不落地抗震墙传到落地抗震墙处框支层楼板组合的剪力设计值；

b_{f} ——框支层楼板的宽度；

t_{f} ——框支层楼板的厚度；

A_{s} ——穿过落地抗震墙的框支层楼盖（包括梁和板）的全部钢筋的截面面积。

2 框支层楼板应采用现浇，厚度不宜小于 180mm，混凝土强度等级不宜低于 C30，应采用双层双向配筋，且每方向的配筋率不应小于 0.25%。

3 框支层楼板的边缘和洞口周边应设置边梁，其宽度不宜小于板厚的 2 倍，纵向钢筋配筋率不应小于 1%且接头宜采用焊接；楼板中钢筋应锚固在边梁内。

4 当建筑平面较长或不规则或各抗震墙的内力相差较大时，框支层楼板尚应验算楼板平面内的受弯承载力，验算时可计入框支层楼板受拉区钢筋与边梁钢筋的共同作用。

附录F 填充墙框架抗震验算

F.0.1 黏土砖填充墙框架考虑抗侧力作用时，层向侧移刚度可按下列公式确定：

$$K_{fw} = K_f + K_w \quad (F.0.1\text{-}1)$$

$$K_w = 3\psi_k \sum E_w I_w^t / [H_w^3(\psi_m + \gamma\psi_v)] \quad (F.0.1\text{-}2)$$

$$\gamma = 9I_w^t / A_w^t H_w^2 \quad (F.0.1\text{-}3)$$

式中：K_{fw}——填充墙框架的层间侧移刚度；

K_f——框架的总层间侧移刚度；

K_w——填充墙的总层间侧移刚度，但对于洞口面积与墙面面积之比大于60%的填充墙取为0；

ψ_k——刚度折减系数，结构上部各层可采用1.0，中部各层可采用0.6，下部各层可采用0.3，结构上、中、下部各层，可按总层数大致三等分；

E_w——填充墙砌体的弹性模量；

H_w——填充砖墙高度；

γ——剪切影响系数；

$A_w^{t(b)}$、$I_w^{t(b)}$——分别为填充墙水平截面面积和惯性矩，开洞时可采用洞口两侧填充墙相应值之和（图F.0.1）；

ψ_m、ψ_v——洞口影响系数。

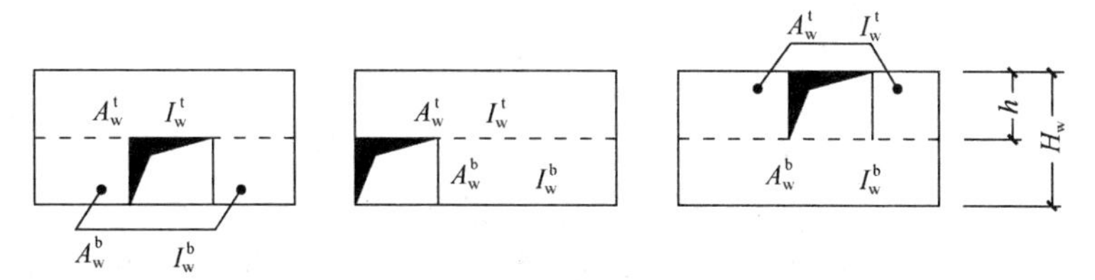

图F.0.1 开洞填充墙截面面积和惯性矩

F.0.2 洞口影响系数可按下列公式计算：

无洞口时，
$$\psi_m = \psi_v = 1 \tag{F.0.2-1}$$

有洞口时，
$$\psi_m = \left(\frac{h}{H_w}\right)^3 \left(1 - \frac{I_w^t}{I_w^b}\right) + \frac{I_w^t}{I_w^b} \tag{F.0.2-2}$$

$$\psi_v = \frac{h}{H_w}\left(1 - \frac{A_w^t}{A_w^b}\right) + \frac{A_w^t}{A_w^b} \tag{F.0.2-3}$$

F.0.3 地震作用效应，应符合下列规定：

1 楼层组合的剪力设计值，应按各榀框架和填充墙框架的层间侧移刚度比例分配，但无填充墙框架承担的剪力设计值，不宜小于对应填充墙框架中框架部分承担的剪力设计值（不包括由填充墙引起的附加剪力）。

2 填充墙框架的柱轴向压力和剪力，应计入填充墙引起的附加轴向压力和附加剪力，其值可按下列公式确定：

$$N_f = V_w H_f / l \tag{F.0.3-1}$$

$$V_f = V_w \tag{F.0.3-2}$$

式中：N_f ——框架柱的附加轴压力设计值；

V_w ——填充墙承担的剪力设计值，柱两侧有填充墙时可采用两侧剪力墙设计值的较大值；

H_f ——框架的层高；

l ——框架的跨度；

V_f ——框架柱的附加剪力设计值。

F.0.4 填充墙框架的截面抗震验算，应采用下列设计表达式：

$$V_{fw} \leqslant \frac{1}{\gamma_{REc}} \Sigma (M_{yc}^u + M_{yc}^l) / H_c + \frac{1}{\gamma_{REw}} \Sigma f_{vE} A_{w0} \tag{F.0.4-1}$$

$$0.4 V_{fw} \leqslant \frac{1}{\gamma_{REc}} \Sigma (M_{yc}^u + M_{yc}^l) / H_c \tag{F.0.4-2}$$

式中：V_{fw} ——填充墙框架承担的剪力设计值；

f_{vE} ——砖墙的抗震抗剪强度设计值；

A_{w0} ——砖墙水平截面的计算面积，无洞口可采用 1.25 倍实际截面面积，有洞口可采用截面净面积，但宽度小于洞口高度 1/4 的墙肢不计入；

M_{yc}^{u}、M_{yc}^{l}——分别为框架柱上、下端偏压的正截面承载力设计值，可按本标准附录 E 的有关公式取等号计算；

H_{c}——柱的计算高度，两侧有填充墙时，可采用柱净高的 2/3，两侧有半截填充墙或仅一侧有填充墙时，可采用柱净高；

γ_{REc}——框架柱承载力抗震调整系数，A 类构筑物可采用 0.68，B 类构筑物可采用 0.8；

γ_{REw}——填充砖墙承载力抗震调整系数，可采用 0.9。

本标准用词说明

1 为便于在执行本标准条文时区别对待，对要求严格程度不同的用词说明如下：

1）表示很严格，非这样做不可的用词：
正面词采用“必须”，反面词采用“严禁”；

2）表示严格，在正常情况下均应这样做的用词：
正面词采用“应”，反面词采用“不应”或“不得”；

3）表示允许稍有选择，在条件许可时首先这样做的用词：
正面词采用“宜”，反面词采用“不宜”；

4）表示有选择，在一定条件下可以这样做的用词，采用“可”。

2 条文中指明应按其他有关标准执行的写法为：“应符合……的规定”或“应按……执行”。

引用标准名录

1 《建筑地基基础设计规范》GB 50007
2 《混凝土结构设计规范》GB 50010
3 《建筑抗震设计规范》GB 50011
4 《建筑抗震鉴定标准》GB 50023
5 《构筑物抗震设计规范》GB 50191
6 《建筑工程抗震设防分类标准》GB 50223
7 《电力设施抗震设计规范》GB 50260
8 《粮食钢板筒仓设计规范》GB 50322
9 《石油化工建(构)筑物抗震设防分类标准》GB 50453
10 《钢制储罐地基基础设计规范》GB 50473
11 《中国地震动参数区划图》GB 18306

中华人民共和国国家标准

构筑物抗震鉴定标准

GB 50117－2014

条 文 说 明

修 订 说 明

《构筑物抗震鉴定标准》GB 50117－2014，经中华人民共和国住房和城乡建设部2014年5月16日以第423号公告批准、发布。

本标准是在《工业构筑物抗震鉴定标准》GBJ 117－88的基础上修订而成的。因标准中增加了电视塔、索道支架、通信塔桅结构等民用构筑物，标准名称改为《构筑物抗震鉴定标准》。上一版的主编单位是冶金工业部建筑研究总院，参编单位是冶金工业部长沙黑色冶金矿山设计研究院、鞍山黑色冶金矿山设计研究院、重庆钢铁设计研究院、鞍山焦化耐火材料设计研究院、包头冶金建筑研究所、中国有色金属工业总公司长沙有色冶金设计研究院、兰州有色冶金设计研究院、沈阳铝镁设计研究院、贵阳铝镁设计研究院、煤炭工业部沈阳煤矿设计研究院、水利电力部西北电力设计院、国家机械工业委员会第一设计研究院和设计研究总院、中国石油化工总公司洛阳设计研究院、中国武汉化工工程公司、化学工业部第三设计院、山西省冶金设计院、国家建材局山东水泥设计院，主要起草人是吴良玖、王福田、刘惠珊、乔太平、马英儒、孙珂权、杨友义 、费志良、刘鸿运、陈幼田、谢福缉 、刘大晖 、金菡、周善文、边振甲、陈俊、章连钧、兰聚荣、俞志强、梁若林、毕家竹、王绍华、袁文度、但泽义、韩加谷等。

为便于广大设计、施工、科研、学校等单位有关人员在使用本标准时能正确理解和执行条文规定，《构筑物抗震鉴定标准》编制组按章、节、条顺序编制了本标准的条文说明，对条文规定的目的、依据以及执行中需注意的有关事项进行了说明，还着重对强制性条文的强制性理由作了解释。但是本条文说明不具备与标准正文同等的法律效力，仅供使用者作为理解和把握标准规定的参考。

目　　次

1 总　　则

1.0.1 地震中构筑物的破坏主要由三种原因造成的：(1) 构筑物抗力结构体系失效；(2) 地基基础失效；(3) 地震地质灾害（滑坡、泥石流等）引发整体破坏。本标准主要针对 (1)、(2) 项地震破坏因素对现有构筑物进行抗震鉴定。其设防目标，根据后续使用年限长短有所区别。后续使用年限为 50 年时，设防目标应与现行国家标准《构筑物抗震设计规范》GB 50191 的规定相同。后续使用年限为 50 以下的，其设防目标均不同程度地低于 50 年的要求，但主体结构不发生整体倒塌破坏。

《工业构筑物抗震鉴定标准》GBJ 117－88（以下简称“88 版鉴定标准”）是在国家标准《构筑物抗震设计规范》GB 50191－93（本标准中简称“93 版设计规范”）之前制订和实施的，当时尚没有相应的工业构筑物设计规范。因此，20 世纪 90 年代之前的工业构筑物，一般是按照《工业与民用建筑抗震设计规范》TJ11－74 或 TJ 11－78 进行设计的，与现行国家标准的设防水准和抗震措施有较大差异。当时的基本烈度是按国家地震局 1957 年颁布的第一代《中国地震区域划分图》（1∶500 万）和 1978 年颁布的第二代《中国地震区域划分图》（1∶300 万）确定的，即按一般场地（Ⅱ类场地，当时划分为三类场地）条件下 100 年内可能遭遇的最大地震烈度。此外，当时的 6 度区为非地震设防区。虽然建设部于 1984 年颁发（84）城抗字第 267 号文《抗震基本烈度 6 度地区主要城市抗震设防和加固的暂行规定》，但仅适用于省会和百万人口以上的城市中的电信、电力等工程，未包括一般的工业构筑物。尤其在第三代（1990 年）、第四代（2001 年）全国地震区划图上又有一些调整，有不少地区的基本烈度或地震动参数有所提高，造成已有构筑物的设防标准偏低。

已建成几十年的构筑物，普遍存在腐蚀等损伤，降低了主体结构的抗震承载力，须通过可靠性鉴定，或根据后续使用年限要求作出抗震鉴定。

现有构筑物的抗震设防目标，应按后续使用年限长短有所不同。后续使用年限为 50 年时，应与现行国家标准《构筑物抗震设计规范》GB 50191 的要求相同，其抗震措施和抗震承载力的要求完全相同；后续使用年限不超过 30 年时，按 A 类进行抗震鉴定；后续使用年限 30 年以上 50 年以内时按 B 类进行抗震鉴定，其抗震措施和抗震承载力的要求均有不同程度地降低，但仍达到“小震不坏，中震可修，大震不倒”的设防要求。

按照国务院《建筑工程质量管理条例》的规定，结构设计必须确定其合理使用年限；对鉴定和加固工程，则要合理确定其后续使用年限；根据中国建筑科学研究院工程抗震研究所 2004 年研究表明，按后续使用年限内具有相同的概率保证，后续使用年限为 10 年、20 年、30 年、40 年、50 年的地震作用相对比例，大致为 0.37、0.59、0.75、0.88、1.00；抗震构造措施调整系数的相对大致比例为 0.48（10 年或 20 年）、0.64（30 年）、0.91（40 年）和 1.00（50 年）。

88 版抗震鉴定标准的强度验算，是按《工业与民用建筑抗震设计规范》TJ11－78 的规定取值，按容许应力和极限状态设计法计算构件承载力。对钢材和螺栓的容许应力按不考虑地震时数值的 125%取值；对钢筋混凝土结构和砖石结构的安全系数按不考虑地震时的 80%取值，但不应小于 1.1。现行抗震设计是通过校准法求出 78 版规范总安全系数 K 所对应的可靠指标 β，作为新规范的目标可靠度，将 78 版规范的单一安全系数设计表达式转换为多系数的截面设计表达式。新规范采用相当于平均结构影响系数 C 的小震（多遇地震），并通过承载力抗震调整系数 γ_{RE} 来反映承载力极限状态的可靠指标的差异。实际上是通过提高某些构件承载力设计强度来加以调整。因此，78 版规范按基本烈度设计与新规范按小震设计结果大体上是保持一致的。88

版鉴定标准与78版规范的设计方法是相同的。

除了抗震承载力鉴定之外，现有构筑物抗震措施鉴定也是主要内容之一。88版抗震鉴定标准的抗震构造措施方面普遍低于现行国家标准《构筑物抗震设计规范》GB 50191的要求。后续使用年限少于50年时，其抗震措施要求有所降低，遭遇同样地震时破坏程度略大于后续使用年限50年的构筑物。

1.0.2～1.0.4 本标准仅适用于抗震设防区现有构筑物的抗震鉴定，不得按本标准对新建构筑物进行抗震设计和施工质量评定。抗震设防烈度与设计基本地震加速度值的对应关系如表1所示。

表1 抗震设防烈度与设计基本地震加速度值的对应关系

抗震设防烈度	6	7	8	9
设计基本地震加速度值	0.05g	0.1（0.15）g	0.2（0.3）g	0.40g

“现有构筑物”主要分为三类：第一类为使用年限在设计基准期内且设防烈度不变，但原规定的抗震设防类别提高的构筑物；第二类是虽然抗震设防类别不变，但因现行的区划图设防烈度提高后有可能不满足相应设防要求的构筑物；第三类为设防类别和设防烈度同时提高的构筑物。

对于结合抗震鉴定进行装修和改善使用功能时，可按本标准进行抗震鉴定。但增加层数或改变使用功能时，不能直接按本标准进行鉴定。

1.0.5 构筑物抗震鉴定的有关规定，主要包括以下内容：

1 抗震工作主管部门发布的有关通知和规定；

2 现行国家标准《工业建筑可靠性鉴定标准》GB 50144和《民用建筑可靠性鉴定标准》GB 50292等；

3 现行工程结构设计规范、工程结构设计统一标准中，有关设计原则、术语、符号以及静力设计的强度和荷载取值等。

3 基本规定

3.0.1 本条规定了抗震鉴定的内容和基本要求：搜集原始资料，调查构筑物现状，采取逐项鉴定法进行抗震能力分析，最后对其主体抗震能力作出评价并提出处理意见。其目的是统一抗震鉴定的基本内容和要求，规范鉴定工作，确保鉴定工作质量和结论的可靠性。

1 构筑物的现状调查主要内容包括：（1）使用状况与原设计或竣工图有无不同，施工质量和维护状况；（2）主要受力构件存在的缺陷，是否属于可修或可加固的“状况良好”范围；（3）检测结构材料的实际强度和腐蚀状况；（4）使用环境现状；（5）场地、地基和基础的现状。“状况良好”系指主体结构完好和局部损伤之间的状况，即属于可修复的范围。

2 已有构筑物在山区、坡地或河岸等不利地段的情况较多，抗震鉴定时必须对其场地、地基基础的地震稳定性和抗震能力作出评价。

3 88 版标准偏重于单个构件的抗震鉴定或加固，没有对总体结构的抗震性能进行综合分析和评价，只要某个部位或节点不符合抗震要求，就要求采取加固处理。这种做法，可能形成新的薄弱环节，影响整体结构的安全性。因此，本标准强调进行综合抗震能力分析，即要求对结构类型、布置，构造和承载能力等方面进行综合判断。在抗震鉴定时，将构件分成具有整体影响和局部影响两大类，并区别对待。前者以主要承重构件及其连接为主，对结构综合抗震能力影响较大，采用“体系影响系数”表示。后者指次要构件、非承重构件等，其影响是局部的，采用“局部影响系数”表示。

4 构筑物的抗震鉴定结果，在本标准第 3.0.10 条规定为五个等级：合格、维修、加固、改变用途和更新。对任何一级的鉴定结果，均要全面考虑有关因素并经过技术经济比较后确定。

3.0.2 本条前三款为强制性条文。现有构筑物进行抗震鉴定时，按现行国家标准《建筑工程抗震设防分类标准》GB 50223 规定，首先确定其设防类别，本标准中，甲类、乙类、丙类、丁类分别为现行国家标准《建筑工程抗震设防分类标准》GB 50223 的特殊设防类、重点设防类、标准设防类、适度设防类的简称。为了达到“小震不坏，中震可修，大震不倒”的目标，规定了各类抗震措施和抗震验算的要求。

甲类，本标准中只有安全等级为一级的电视塔属于该类，其抗震鉴定要求须经专门研究确定，按不低于乙类的地震作用进行检查和评定其综合抗震能力。

乙类，即重点设防类，凡没有专门规定的抗震措施，均要求按提高一度的规定进行检查。9 度时须适当提高抗震设防要求。抗震验算没有规定提高一度要求，但不能低于本地区设防烈度要求。

3.0.3、3.0.4 现有构筑物的情况十分复杂，其结构类型、建造年代、设计时所用的设计规范、地震动区划图的版本、施工质量和使用维护等方面存在差异，使其抗震能力有很大的不同。因此须根据实际情况区别对待和处理，在现有的经济技术条件下分别达到最大可能的抗震防灾要求。与第 1.0.2 条相对应的设防目标，根据构筑物不同设计建造年代和不同后续使用年限，规定其采用的鉴定方法。

后续使用年限不超过 30 年的构筑物，简称 A 类建筑物，通常属于 93 版设计规范正式执行之前设计建造的，如果按 88 版鉴定标准作了抗震鉴定或加固，而且当地设防标准没有提高以及使用状况没有改变，可不要求重新进行抗震鉴定。否则，应按本标准的 A 类进行抗震鉴定。

后续使用年限为 30 年以上 50 年以内的构筑物，简称 B 类构筑物，通常属于 93 版设计规范正式执行之后设计建造的，应采用本标准B类构筑物的抗震鉴定方法。如果本地区的抗震设防烈度提高，或抗震设防类别提高时，其抗震鉴定可参照现行国家标准《结构可靠性总原则》ISO 2394的规定。

后续使用年限50年的构筑物，简称为C类构筑物，其鉴定要求完全采用现行抗震设计规范的有关规定，本标准不再重复规定。

本标准中的部分构筑物未按后续使用年限划分类别进行抗震鉴定，但实际上是按B类进行抗震措施鉴定，抗震验算仍按后续使用年限确定地震动参数的调整系数。

3.0.5 本条为强制性条文。因已有构筑物的抗震水准较低，新的《构筑物抗震设计规范》GB 50191－2012在设计水准上也有所提高，所以对本条中的三类构筑物提出了进行抗震鉴定的要求。需说明的是，对改扩建或改变原设计条件的构筑物，应首先按现行国家标准《工业建筑可靠性鉴定标准》GB 50144或《民用建筑可靠性鉴定标准》GB 50292的规定进行可靠性鉴定，在满足了上述鉴定标准要求的基础上，再按本标准进行抗震鉴定。

3.0.6 本条规定的目的，一是要求调查和鉴定工作按不同情况有所区别对待，二是要求对重点部位作更细致的检查和鉴定。本条所述的重点部位系指影响该类构筑物整体抗震性能的关键部位或地震破坏时可能发生严重次生灾害的部位。

3.0.7 对部分构筑物可采用两级抗震鉴定法，是一种筛选法的具体应用。采用两级鉴定法时，对后续使用年限不超过30年的A类构筑物，第一级鉴定的工作量较少，既简便又能保证安全。其中有些不合格项目时，可在第二级鉴定中进一步判定，再不合格时则须进行加固处理。第二级鉴定是在第一级鉴定的基础上进行的，即当结构的承载力较高时，可适当放宽某些构造要求；或者，当抗震构造良好时，如砌体结构有圈梁和构造柱形成约束，其承载力的要求可适当降低。

对于后续使用年限30年以上50年以内的B类构筑物，不采用两级鉴定，但要综合考虑抗震措施和承载力的情况进行鉴定。

这种鉴定方法，一是把抗震措施要求和抗震承载力验算密切结合，二是体现了结构抗震能力中的承载力与变形能力有机结合。

3.0.8 本标准中有些构筑物A类不采用两级抗震鉴定法，是因为目前还未形成成熟的研究成果。本条主要从结构高度、平立面和抗侧力构件布置、结构体系、构件的变形能力、连接构造、材料强度、非结构构件的影响和场地、地基基础等方面，对宏观控制的基本规定和措施鉴定提出了基本要求，检查构筑物是否存在影响其抗震能力的不利因素。

3.0.9 本条对现有构筑物所在的场地、地基和基础的有利和不利因素，对有关鉴定要求作了适当调整。

建在Ⅳ类场地、复杂地形、严重不均匀地基上的构筑物以及同一单元内存在不同类型的基础时，须考虑地震影响的复杂性和地基基础整体性差的不利影响，要求上部结构的整体性更强一些，或抗震承载力有较大的富余。在一般情况下，可将部分抗震措施的鉴定要求按提高一度考虑，例如增加或增大基础连梁、增加配筋和圈梁数量等。

对于有全地下室、箱基、筏基和桩基的构筑物，可放宽对上部结构的部分构造措施要求，如圈梁设置可按降低一度要求，支撑系统和其他连接构造要求可适当降低，但不得全面降低构造要求。

对密集的构筑物，包括与构筑物通过防震缝毗连的建筑，其相关部位的应力集中或碰撞可能引起破坏，因此鉴定时对其构造措施要求可按提高一度考虑。

对建于Ⅲ、Ⅳ场地上7度（0.15g）和8度（0.3g）的构筑物，与现行国家标准《构筑物抗震设计规范》GB 50191协调一致，其构造措施鉴定须分别按8度和9度要求。

3.0.10 对不符合抗震鉴定要求的构筑物，提出四种处理对策：

1 维修：适用于少数次要部位或局部不符合鉴定要求的情况。

2 加固：适用于（1）无地震时能正常使用；（2）虽然存在缺陷或质量问题，但通过抗震加固能达到鉴定要求；（3）因使用年限久或腐蚀等原因，其抗侧力结构承载力降低，但可修复或加固；（4）结构局部缺陷虽然较多，但易于加固。

3 改变用途：包括改变使用功能、降低使用荷载、降低抗震设防类别等。为此，可以采取适当的改造和加固措施，以适应新用途的抗震要求。

4 更新：对于那些后续使用年限较短且不符合鉴定要求也无加固价值的构筑物，可以采取卸载，设置临时支撑等措施。

3.0.11、3.0.12 是按现行国家标准《建筑抗震鉴定标准》GB 50023－2009第5.2.8条和第5.3.10条内容引入的，因为本标准中没有“多层砌体房屋”一章，但在不少构筑物中存在承重的或非承重的砌体结构以及非结构构件，因此在这里给出规定是必要的。

3.0.13、3.0.14 是按现行国家标准《建筑抗震鉴定标准》GB 50023－2009第6章“多层及高层钢筋混凝土房屋”中有关砌体填充墙的要求引入的，按A类、B类构筑物分别给出规定。

4 场地、地基和基础

4.1 场　　地

4.1.1～4.1.4 考虑到场地、地基和基础的鉴定和处理难度较大，而且由于地基基础问题导致的实际震害例子相对较少。为缩小鉴定范围，本章主要列出一些原则性规定，以供鉴定时检查、判断的依据。

有利地段、一般地段、不利地段、危险地段和场地类别，应按现行国家标准《构筑物抗震设计规范》GB 50191 的规定划分。

岩土失稳造成的灾害，如滑坡、崩塌、地裂等，其波及面广，对构筑物危害的严重性也往往较重，因此应慎重研究。

含液化土的缓坡（1°～5°）或地下液化层稍有坡度的平地，在地震时可能产生大面积的土体滑动（侧向扩展），在现代河道、古河道和海滨地区，通常宽度在 50m～100m 或更大，其长度达到数百米，甚至 2km～3km，造成一系列地裂缝或地面的永久性水平、垂直位移，其上的构筑物或生命线工程或拉断或倒塌，破坏很大。海城地震、唐山地震中，沿河海故道和陡河、滦河等河流两岸都有这种滑裂带，损失甚重。

汶川地震中危险地段的构筑物破坏严重，强风化岩石地基上的构筑物也有明显的震害，鉴定时须予以注意。

4.2 地基和基础

4.2.1 本条列出对地基基础现状进行抗震鉴定应重点检查的内容。对震损构筑物，尚应检查因地震影响引起的损伤，如有无砂土液化现象、基础裂缝等。

4.2.2 地震造成的地基震害，如液化、软土震陷、不均匀地基的差异沉降等，一般不会导致构筑物的坍塌或丧失使用价值，加之地基基础鉴定和处理的难度大，因此，减少了其抗震鉴定的范围。

4.2.5 地基基础的第一级鉴定，包括饱和砂土、饱和粉土的液化初判，软土震陷初判，并给出可不进行桩基验算的规定。

液化初判在利用设计规范方法的基础上略加补充。

软土震陷问题，只在唐山地震时津塘地区表现突出。唐山地震中，8度、9度区地基基础承载力为60kPa～80kPa的软土上，有多栋建筑产生了100mm～300mm的震陷，相当于震前总沉降量的50%～60%。已有研究表明，8度时软弱土层厚度小于5m时可不考虑震陷的影响，但9度时，5m厚的软弱土层产生的震陷量较大，不能满足要求。

不验算桩基的范围基本上同现行国家标准《构筑物抗震设计规范》GB 50191。

4.2.6 地基基础的第二级鉴定，包括饱和砂土、饱和粉土的液化再判，软土和高耸构筑物的天然地基、桩基承载力验算及不利地段上抗滑移验算的规定。

构筑物的存在加大了液化土的固结应力。研究表明，正应力增加可提高土的抗液化能力。当砂性土达到中密时，剪应力的增大可使其抗液化能力提高。

4.2.7 在一定条件下，现有天然地基基础竖向承载力验算时，可考虑地基土的长期压密效应；水平承载力验算时，可考虑刚性地坪的抗力。

1 地基土在长期荷载下，物理力学特性得到改善，大量工程实践和专门试验表明，已有建筑的压密作用，使地基土的孔隙比和含水量减小，可使地基承载力提高20%以上；当基底容许承载力没有用足时，压密作用相应减小，故表4.2.7中的压密提高系数值降低。岩石和碎石类土的压密作用及物理化学作用不显著；软土、液化土和新近沉积黏性土又有液化或震陷问题时，其承载力不宜提高，故压密提高系数均取1.0。

2 承受水平力为主的天然地基，系指柱间支撑的柱基、拱脚等。震害分析表明，刚性地坪可以抵抗结构传来的基地剪力。根据试验结果，柱底传给地坪水平力约在 3 倍柱宽范围内分布，因此要求地坪受力方向宽度不小于柱宽的 3 倍。

混凝土地坪与地坪以下土的变形模量相差 4 倍，因此不能同时考虑二者的水平抗力。

5 地震作用和抗震验算

5.1 一 般 规 定

5.1.1 震害经验表明，6度区的一般构筑物，着重检查抗震措施方面的鉴定要求，一般情况下可不进行抗震承载力验算。但当一级鉴定不满足要求时，可以通过包括抗震验算等综合分析其抗震能力。

5.2 地震作用和效应调整

5.2.1 地震作用计算时，荷载组合及其组合值系数、特征周期、水平和竖向地震影响系数最大值，阻尼比调整系数、地震作用效应组合和竖向地震作用系数等，均可按照现行国家标准《构筑物抗震设计规范》GB 50191 的规定采用。

5.2.2 本条中地震影响系数的调整系数，是参考中国建筑科学研究院工程抗震研究所毋剑平等人《不同设计使用年限下地震作用的确定方法》（“工程抗震”2003，第2期）的研究结果并作了适当调整后给出的。原文是按照不同设计使用年限对地震作用进行调整，现改为对地震影响系数进行调整。鉴于高炉等构筑物设计使用年限为10年～15年，给出10年～30年和40年两档的调整系数。按表5.2.2规定的地震影响系数调整系数计算结果并经加固后的构筑物，其抗震设防概率水准与现行抗震设计规范是相近的。

5.2.3 地下结构包括挡土结构、地下通廊、尾矿坝等，根据他们中有的分别按多遇地震或设防地震两种水准计算，所以给出两种水平地震系数和竖向地震系数取值，并根据不同后续使用年限按表5.2.2的规定乘以调整系数。

5.2.4 8度、9度的大跨度（≥24m）、长悬臂（≥6m）和高耸

结构，须进行竖向地震作用计算。此时，其竖向地震作用系数和竖向地震影响系数最大值，均应根据其后续使用年限按表 5.2.2 的规定乘以调整系数。

5.3 抗震验算

5.3.2 构筑物抗震承载力验算方法与现行国家标准《构筑物抗震设计规范》GB 50191 的规定相同，其中承载力抗震调整系数与设计规范取值相同。但材料强度指标、内力调整系数等有所不同。

5.3.3 须按罕遇地震作用进行抗震变形验算时，除按《构筑物抗震设计规范》GB 50191 规定外，尚须按其后续使用年限对地震作用进行调整，即对其地震影响系数按第 5.2.2 条规定乘以调整系数。

5.3.4 现有砌体结构抗震承载力验算方法，是采用现行国家标准《建筑抗震鉴定标准》GB 50023 B 类多层砌体房屋的计算方法。

6　钢筋混凝土框排架结构

6.1　一 般 规 定

6.1.1　框排架结构是框架与排架或框架-抗震墙与排架侧向组联结构，因其震害比“单纯的”框架和排架结构复杂，表现出更显著的空间作用效应，因此最大高度比钢筋混凝土框架结构的适用高度有所降低。我国 20 世纪 80 年代以前建造的钢筋混凝土结构，普遍是 10 层以下，框架结构可以是现浇的或装配整体式的。20 世纪 90 年代以后建造的，最大适用高度参考了 93 版设计规范和现行国家标准《构筑物抗震设计规范》GB 50191－2012 的规定作了调整。

6.1.2　本条是第 3 章中概念鉴定在多层钢筋混凝土框排架结构的具体化。根据震害总结，6 度、7 度时主体结构基本完好，以连接构造的要求为主，吸取汶川地震教训，强调了楼梯间的填充墙；8 度、9 度时主体结构有破坏且不规则结构等加重震害。据此，本条提出了不同烈度下的主要薄弱环节，作为检查重点。

6.1.4　根据震害经验，钢筋混凝土框排架结构的鉴定，应从结构体系合理性、材料强度、梁柱等构件自身的构造和连接的整体性、填充墙等局部连接构造等方面和构件承载力加以综合评定。

6.1.5　本条规定 A 类和 B 类钢筋混凝土框排架结构抗震鉴定的方法。A 类框架结构采用综合抗震承能力验算。

采用综合抗震能力验算方法时，其构件抗震承载力按式（6.1.5）计算，是将抗震构造措施对结构抗震承载力的影响用量化表示。采用设计规范方法进行抗震承载力验算时，也可以加入 ψ_1、ψ_2 来体现构造的影响。

B 类可通过内力调整进行抗震承载力验算，也可按 A 类方法进行综合抗震能力评定。

6.2 A类钢筋混凝土框排架结构抗震鉴定

6.2.1 现有结构体系的鉴定包括节点连接方式、跨数的合理性和规则性的判别。

连接方式主要是指刚接和铰接，以及梁底纵向钢筋的锚固等。

单跨框架对抗震不利，明确要求8度、9度时乙类设防不宜为单跨框架；乙类设防的多跨框架在8度、9度时，还建议检查其“强柱弱梁”的程度。参照欧洲抗震规范，可计入柱边以外2倍楼板厚度的分布钢筋参与梁的受力。

框架结构的规则性判别，基本按现行国家标准《构筑物抗震设计规范》GB 50191中关于框架结构的要求。

6.2.2 本条对材料强度的要求是最低的，直接影响了结构的承载力。

6.2.3～6.2.5 整体性连接构造的鉴定分两类：

6度和7度Ⅰ、Ⅱ类场地时，只判断梁、柱的配筋构造是否满足非抗震设计要求。检查梁纵筋在柱内的锚固长度。对乙类设防的混凝土框架，增加了框架柱最小纵向钢筋和箍筋的检查要求。

7度Ⅲ、Ⅳ类场地和8度、9度时，要检查纵筋、箍筋、轴压比等。作为简化的抗震承载力验算，要求控制柱截面，9度时还要验算柱的轴压比。框架-抗震墙中抗震墙的构造要求，是参照93版设计规范提出的。

6.2.6 砌体填充墙等与主体结构连接的鉴定要求，系参照现行国家标准《建筑抗震鉴定标准》GB 50023 A类多层及高层钢筋混凝土房屋的规定给出的。

6.2.7～6.2.12 排架结构的第一级鉴定要求，系按照现行国家标准《建筑抗震鉴定标准》GB 50023 A类单层钢筋混凝土柱厂房的规定给出的。

6.2.13 本条规定了不需要进行第二级鉴定就评为不符合抗震要

求的情况，并要求针对不符合要求的具体情况采取加固等措施。

6.2.14 平面较规则和竖向布置连续时，A类钢筋混凝土框排架结构可采用平面结构的楼层综合抗震能力指数法进行第二级鉴定，也可以采用现行国家标准《构筑物抗震设计规范》GB 50191的简化方法和本标准第5章的规定进行抗震承载力验算，其组合的内力设计值可不作调整。当平面或竖向布置不规则、不连续时，要求按现行国家标准《构筑物抗震设计规范》GB 50191规定进行抗震分析，按本标准第5章规定进行构件承载力验算，其构件组合的内力设计值也不作调整。

6.2.15～6.2.19 钢筋混凝土框架结构验算，构造影响系数的取值要根据具体情况确定：

1 由于第二级鉴定时对材料强度和纵向钢筋不作要求，而体系影响系数只与规则性、箍筋构造和轴压比等有关。

2 当部分构造符合第一级鉴定要求而部分构造符合非抗震设计要求时，可在0.8～1.0之间取值。

3 不符合的程度大或有若干项不符合时取较小值；对不同烈度鉴定要求相同的项目，烈度高者，该项影响系数取较小值。

4 结构损伤包括因建造年代甚早、混凝土碳化而造成的钢筋锈蚀；损伤和倾斜的修复，通常要考虑新旧部分不能完全共同发挥效果而取小于1.0的影响系数。

5 局部影响系数只乘以有关的平面框架，即与承重砌体结构相连的平面框架、有填充墙的平面框架或楼屋盖长宽比超过规定时其中部的平面框架。

计算结构楼层现有承载力时，与93版设计规范相同，应取结构构件现有截面尺寸、现有配筋和材料强度标准值计算，具体见本标准附录C；计算楼层的弹性地震剪力系数特征周期和承载力抗震调整系数按93版设计规范取值，地震作用的分项系数取1.0。

6.2.20 本条规定了评定钢筋混凝土框架结构综合抗震能力的两种方法：楼层综合抗震能力指数法和考虑构造影响的抗震承载力

验算法。一般情况采用前者，当前者不适用时采用后者。

6.2.21 本条规定排架结构须验算的构件范围。

6.3 B类钢筋混凝土框排架结构抗震鉴定

6.3.1 本条引用了《构筑物抗震设计规范》GB 50191－93对抗震等级的规定，属于鉴定时的重要依据。如果原设计的抗震等级与本条的规定不同，则需要严格按新的抗震等级仔细检查现有结构的各项抗震构造。

6.3.2 本条依据93版设计规范有关钢筋混凝土框排架结构布置的规定，从鉴定的角度予以规定。吸取汶川地震的教训，规定乙类设防且为一、二级时，要求为多跨框架；在8度、9度设防时检查“强柱弱梁”的情况。对于排架结构的屋盖支撑布置和构造，也规定了比A类更高的要求。

6.3.4～6.3.8 依据《构筑物抗震设计规范》GB 50191－93设计规范对梁、柱、墙体配筋的规定，以及钢筋锚固连接的要求，从鉴定的角度予以归纳、整理而成。

6.3.10～6.3.14 有关排架结构的抗震构造措施，引用国家标准《建筑抗震鉴定标准》GB 50023－2009单层钢筋混凝土柱B类厂房抗震鉴定有关规定。

6.3.15、6.3.16 钢筋混凝土框排架结构应按现行国家标准《构筑物抗震设计规范》GB 50191的抗震计算分析方法和本标准第5章的规定进行构件抗震验算。但其中，不同于现行设计规范的内力调整系数和构件承载力验算公式，均在本标准的附录D中给出，以便应用。

鉴于现有框排架在静载下可正常使用，对于梁截面现有的抗震承载力验算，必要时可按梁跨中底面的实际配筋与梁端顶面的实际配筋二者的总和来判断实际配筋是否足够。

6.3.18 本条给出B类钢筋混凝土框架结构参照A类方法进行综合抗震承载力验算时的体系影响系数的取值。

7 钢框排架结构

7.1 一 般 规 定

7.1.1 本条规定了钢框排架结构抗震鉴定的适用范围。

7.1.2 本条规定抗震鉴定时的重点检查内容，如结构构件的材质、梁柱等构件的构造和连接的整体性等方面。对于影响抗震安全性的问题，如设备振动、偏心等也要考虑其不利影响。

7.1.3 突出屋面的天窗架是地震破坏的主要部位之一，需重视其结构形式和板材。

7.1.4 本条对框排架结构的布置规定其检查内容，要求平面规则，高差和荷载分布均匀，减小扭转效应和设置防震缝的规定等。

7.1.5 根据钢结构自身特性，在使用一段时期后，需要对其外观和内在质量进行全面的检查，以保证结构构件和节点能传递地震作用。

7.1.6 本条提出天窗架布置要求主要考虑屋面板开洞过大造成刚度削减的影响。

7.1.7 钢框排架结构中的屋盖支撑和柱间支撑是厂房纵向主要抗侧力构件，完整的支撑系统可以保证有效传递地震作用。

7.2 A类框排架结构抗震鉴定

7.2.1 本条系根据一般屋架支撑布置的基本要求及原则并参照现行国家标准《建筑抗震鉴定标准》GB 50023－2009 A类单层厂房有关规定。其主要原则如下：

1 结构单元由两端柱距内的屋盖横向支撑、垂直支撑组成为刚度可靠的屋盖刚性体系。

2 屋面支撑体系与柱支撑体系宜配置在同一开间内，以便加强结构单元的整体性和直接传递地震作用。

3 屋架上弦受压弦杆由与横向支撑节点相连的水平系杆来保证平面外的稳定性，屋架下弦受拉弦杆由与横向支撑节点相连的水平系杆来控制其合理的长细比。

4 垂直支撑是将天窗架屋面或屋盖面层水平地震作用传递到柱间支撑或下层支撑的最主要传力构件，其设置间距应从严控制。

7.2.2 为保证地震作用下框架柱形成塑性铰后的整体稳定性不致降低过多，应严格限制其长细比和板材宽厚比。

7.2.3 根据经验，提出了符合相应条件的结构可不进行抗震验算，但其布置及构造应符合本章所规定的要求。

7.3 B类框排架结构抗震鉴定

7.3.1 本条规定了钢框排架结构中的节点连接形式及支撑的设置要求。在以往的震害中，砖砌体墙因质量大、刚度大、强度低而导致自身损坏或对结构造成的损坏均较为严重，故尽量选用轻质墙体；当采用砖砌体墙时需考虑柔性连接。当为非柔性连接时，应在抗震验算时计入墙体质量和刚度影响。排架的柱间支撑布置，系参考国家标准《建筑抗震鉴定标准》GB 50023－2009中B类单层厂房的规定。

7.3.3、7.3.4 对柱的长细比和梁柱板件宽厚比的要求要比A类钢框排架更严格一些。

7.3.5 根据经验，给出了可不进行抗震验算的范围，但其结构布置和构造仍应符合本章的规定。对不符合规定范围的B类钢框排架结构，应按现行国家标准《构筑物抗震设计规范》GB 50191的方法和本标准第5章的规定进行抗震承载力验算。

8 通　　廊

8.1 一 般 规 定

8.1.1 本条给出通廊抗震鉴定的适用范围，其中砖混结构通廊是指支承结构和纵向大梁（桁架）为钢筋混凝土结构，廊身为砌体围护结构的通廊；混合支承结构通廊是指通廊单元内部分支承结构为钢或钢筋混凝土结构，部分支承结构为砌体结构。

8.1.2 外观和内在质量不符合本条规定时，应采取相应的修复或加固措施。

8.1.3、8.1.4 通廊端部与相邻建（构）筑物之间设置防震缝或通廊中部设置防震缝时，规定了各类通廊的防震缝最小宽度，砌体承重结构通廊可按钢筋混凝土承重结构通廊的规定采用。

8.1.6 本条规定是针对直接支承在建（构）筑物上的通廊，即在靠近建（构）筑物处无通廊支架的情况。

8.2 砌体结构通廊

8.2.1 通廊系统的布置是指通廊的平面及立面布置，检查的重点是防止地震造成塌落或连接部位局部塌落，砌体材料实际达到的强度等级和质量等。

8.2.2 通廊支座应有防止塌落的措施。对于固定支座应有可靠的焊接或螺栓连接；对于滑动支座应有限位连接措施。当通廊支承于建（构）筑物上时，应考虑二者相对位移影响。

8.2.3 毗邻建（构）筑物地震时会发生碰撞，造成结构局部损坏、大梁塌落等情况，须针对不同的情况分别采取不同的措施。

8.2.4 海城、唐山地震中，高烈度地区砖混通廊的倒塌和损坏率较高，因此规定 9 度和 8 度Ⅲ、Ⅳ类场地时不应为砌体支承结构。

8.2.5、8.2.6 支承结构为砖石支墩时，应设有钢筋混凝土围套；支承墙体采用砖壁柱时，其砖壁柱和砖墙宜为钢筋网砂浆或混凝土夹板墙；墙体采用砖柱时，应设有钢筋混凝土芯柱或外包钢筋混凝土围套、角钢加缀条围套。采用砖墙、砖拱时，应满足本标准第3.0.11条或第3.0.12条承重墙体的要求。

通廊支承结构不符合要求时，应加固。当底板与卧梁无可靠连接时，应采用砂浆灌缝，并在对应构造柱位置的底板下缘设置横向拉杆。

8.2.8 砌体廊身不符合本条要求时，应采取提高廊身整体性的措施，并防止屋面板在竖向地震作用下可能上抛。

8.2.9 砖支承结构的侧移刚度一般比钢筋混凝土支架或钢支架大，其所分担的地震力也较大。砖结构属脆性材料，故破坏严重，因此规定这类通廊的砌体支承结构构件应按提高一度设防要求进行抗震措施鉴定。

8.2.10 地下通廊的震害极少，故规定地下通廊可不鉴定。跨间承重结构为钢筋混凝土大梁的砖混通廊在6度和7度Ⅰ、Ⅱ类场地时，地震作用不起控制作用，但通廊屋面构件与墙体要有可靠连接。

8.2.11 本条给出砌体支承结构的验算的范围和验算方法。

8.3 钢筋混凝土结构通廊

8.3.3 支承结构按框架结构的抗震措施进行抗震鉴定，如果不满足要求，应对框架横梁进行补强或在节间加设支撑。

8.3.4 大梁与支承结构的连接要求，是参照现行国家标准《构筑物抗震设计规范》GB 50191的规定给出的。

8.3.5 防止落梁的措施包括应有足够的支承长度，在支承边设置限制过大位移的挡板等。

8.3.6 通廊与其相邻建（构）筑物之间未设防震缝，或设缝宽度不满足要求时，两者会因碰撞而导致廊端撞坏、支架断裂，建（构）筑物会产生严重震害，因此抗震鉴定时对防震缝间距须予以重视。

8.3.8 本条规定了某些钢筋混凝土结构通廊在地震中的震害均较轻微，可不作抗震承载力验算，但本节规定的各项抗震措施仍须满足要求。

8.3.9 本条规定的需要进行抗震承载力验算的钢筋混凝土结构通廊的范围，是根据震害经验和抗震分析结果给出的。跨度大于24m的跨间承重结构，须验算其竖向抗震承载力。

8.4 钢结构通廊

8.4.3 钢结构构件容易失稳，为了保证其抗震性能，对支架及其杆件长细比以及板件的宽厚比分别按A类和B类作了规定，但比设计规范要求有所降低。

8.4.7 本条规定了一些钢结构通廊在地震中的震害均较轻微，可不作抗震承载力验算，但仍须满足抗震措施的各项要求。

8.4.8 本条中的重型通廊系指廊身为砌体结构通廊。

9 筒　　仓

9.1 一般规定

9.1.1 为了与现行国家标准《构筑物抗震设计规范》GB 50191保持一致，本标准将“贮仓”改为“筒仓”。

9.1.2 筒仓的倾斜率规定是参照现行国家规范《建筑抗震鉴定标准》GB 50023中高度不超过20m的水塔的规定给出的，超过20m时其值为0.6%。

9.2 砌体筒仓

9.2.1 砌体筒仓主要是在小型企业中应用，有不少未进行正规设计，在以往地震中震害比较严重，因此对其作了严格限制。

9.2.2～9.2.8 砌体筒仓圈梁及构造柱等要求，系根据震害经验给出的，并参照现行国家标准《构筑物抗震设计规范》GB 50191的规定。

9.3 钢筋混凝土筒仓

9.3.1～9.3.6 柱承式筒仓比筒承式筒仓的震害要严重得多，所以对其抗震措施提出更多的要求，以保证具有较好的延性性能。

9.3.7 支承筒壁抗震性能良好，但洞口部位截面被削弱并会产生应力集中，因此要求予以加强。同时为保证狭窄筒壁的抗震能力，洞口间的筒壁尺寸不应过小。

9.3.8 震害调查表明，支承柱（支承框架）设有填充墙时，震害减轻，但墙体须对称布置并满足一定的构造要求；半高填充墙会加重柱的地震破坏，应拆除。

9.3.11 震害表明，不论筒承式还是柱承式，仓体大部分完好，仅有少数轻微损坏；震害主要集中在支承结构和仓上建筑。支承结构的震害，柱承式远重于筒承式。支承柱的震害主要集中在柱与仓底的连接处、柱脚以及框架的梁柱节点部位。通过验算结果和震害经验，给出不验算的范围，以减少鉴定工作量。

9.4 钢 筒 仓

9.4.1～9.4.6 钢板筒仓是20世纪70年代以后发展起来的新技术，其震害较少。震害一般是由于设计的支撑布置等方面不合理造成的，海城地震时9度区的钢料仓出现二个地脚螺栓被剪断的震害。因此，参照现行国家标准《构筑物抗震设计规范》GB 50191有关钢筒仓的规定给出支承结构和仓上建筑等要求。

9.4.8、9.4.9 不符合本章一般规定和本节抗震措施要求的钢筒仓以及8度、9度时的钢支承结构、仓上建筑，须进行抗震承载力验算。矿仓、煤仓等可按现行国家标准《构筑物抗震设计规范》GB 50191规定方法，粮仓可按现行国家标准《粮仓钢板筒仓设计规范》GB 50322规定的方法，并按本标准第5章规定分别对A类、B类筒仓的地震动参数进行调整后进行抗震承载力验算。

9.4.10 钢支柱与基础的锚固，是薄弱环节，震害较多。因此规定8度、9度时须进行其抗震承载力验算。

10 容器和塔型设备基础结构

10.1 一 般 规 定

10.1.1、10.1.2 本章中的容器和塔型设备基础结构主要是指容器类、塔类设备的基础结构。设备本体的抗震鉴定在相关行业标准中有规定，例如《钢制常压立式圆筒形储罐抗震鉴定标准》SH/T 3026、《石油化工设备抗震鉴定标准》SH/T 3001 等。本次修订与现行国家有关标准作了协调，仅对设备基础结构给出具体的抗震鉴定规定。

1 在工业构筑物中，容器类、塔型设备量大面广，主要用来储存石油化工类产品的容器，在现行国家标准《石油化工建(构)筑物抗震设防分类标准》GB 50453 中，根据其储存的介质和在遭受地震破坏后的危害程度，给出了抗震设防分类。

2 根据国内外历次大地震和汶川地震震害表明，容器类、塔型设备的地基结构发生液化的现象不多，大部分是由于基础结构强度不够而产生破坏。特别是砖砌基础结构，地震中遭受破坏而产生倾斜、开裂的现象非常普遍。此外，固定设备的地脚螺栓在地震中被拉长、拉断的震害现象也屡见不鲜，这些都是抗震鉴定时需要重点检查的内容。

3 容器类、塔型设备的基础结构进行抗震验算时，按多遇地震确定地震影响系数，与现行国家标准《构筑物抗震设计规范》GB 50191 的规定相同，但在抗震鉴定时可按本标准第5.2.2 条规定予以调整。

10.2 卧式容器基础结构

10.2.3 一般情况下，放置在 T 形、Π 形或 H 形支架式基础结构上的卧式容器的重心位置都比较高。在石化企业中，根据生产工艺要求，有些卧式设备基础支架的高度达5m～6m，因此，对这类结构的配筋要求是至关重要的。B类设备支架应按三级钢筋混凝土框架结构要求。

10.2.4 支墩式基础结构重心较低，震害较轻，一般情况下可不进行抗震验算，但构造措施仍须严格要求。

10.2.5 本条规定8度、9度时的卧式容器基础结构应进行抗震验算，以保证其地震安全性。

10.3 常压立式圆筒形储罐基础结构

10.3.1 常压立式圆筒罐基础结构的形式很多，一般分为护坡式基础和钢筋混凝土环墙式基础。钢筋混凝土环墙式基础结构又分为环墙式基础和外环墙式基础两种类型。各类型的基础结构有其特点和适用条件。基础结构进行抗震鉴定时，除须考虑结构的配筋等级和混凝土强度等级外，还要考虑以下因素：

1 护坡式基础结构一般用于硬和中硬类土。由于这类地基容易产生不均匀沉降，因此抗震性能较差。

2 钢筋混凝土环墙式基础结构一般用于软土和中软土。在罐壁下设置钢筋混凝土环墙的储罐基础在我国各行业，特别是石油化工企业中应用较多。由于这类基础环墙的竖向刚度比环墙内填料层相差较大，因此罐壁和罐底的受力状态较外环墙式基础差。

外环墙式基础结构一般多用于硬土和中硬土。由于外环墙式基础具有一定的稳定性，因此其抗震性能较好。但外环墙式基础的整体平面弯曲刚度较钢筋混凝土环墙式基础差，因此当罐壁下节点处的下沉低于外环墙顶时易造成两者之间的凹陷。

10.3.3 现有储蓄罐基础结构的构造，系参照现行国家标准《构筑物抗震设计规范》GB 50191的规定给出的。

10.3.4 8度和9度时，环墙式基础结构应按现行国家标准《构筑物抗震设计规范》GB 50191的方法和本标准第5章有关地震动参数调整后进行抗震承载力验算，其中包括地脚螺栓的验算。

10.3.6 本阻尼比数值是根据中国石化工程建设有限公司最近完成的储罐抗震研究成果给出的。

10.4 球形储罐基础结构

10.4.8 8度及以上地区的球罐基础结构须进行抗震验算。在现行国家标准《石油化工建（构）筑物抗震设防分类标准》GB 50453中规定球形储罐为乙类构筑物，即属于重点设防类。

10.5 塔型设备基础结构

10.5.2 根据大量的计算分析，6度和7度时某些条件下的圆筒（柱）式塔基础或框架式塔基础结构主要是竖向荷载和风荷载起控制作用，可不进行抗震验算。

10.5.3 8度、9度时塔型设备基础结构的抗震验算应计入竖向地震作用。抗震承载力验算时，A类结构的构件组合内力设计值可不作调整，但B类应调整。

10.5.4～10.5.11 抗震鉴定的构造要求系参照现行国家标准《构筑物抗震设计规范》GB 50191的规定给出的，其中框架式基础结构应按本标准第6章B类钢筋混凝土框架结构抗震等级提高一级确定构造措施要求。

10.5.12 采用矩阵迭代法计算塔型设备的基本自振周期很繁琐，而且公式中的参数难以取值准确或周全，往往使理论计算值与实测值相差较大。本条给出的塔型设备结构的基本自振周期公式是根据对大量在役塔类设备的实测周期值进行统计回归得到的。

排塔是指二个及以上的塔通过联合平台连接形成的一个整体的多层结构，各塔的振动互相影响，实测的周期值并非单个塔自身的基本周期，而是受到整体的影响。实测结果表明，在垂直于排列方向，主塔的基本自振周期起主导作用，故本条规定了采用主塔的基本周期值时要乘以折减系数0.9。

11 支架及构架

11.1 一 般 规 定

11.1.1、11.1.2 变电构架和支架的适用范围与原国家标准《工业构筑物抗震鉴定标准》GBJ 117－88 标准相同，仍为 35kV～330kV。现行国家标准《电力设施抗震设计规范》GB 50260 为 110kV～500kV，《变电站建筑结构设计技术规程》DL/T 5457 适用范围为 35kV～500kV。现行国家标准《电力设施抗震设计规范》GB 50260 推荐的变电构架为：钢筋混凝土环形杆柱结构、钢管混凝土结构和钢结构。本鉴定标准系参照《变电站建筑结构设计技术规程》DL/T 5457 对变电站建（构）筑物的抗震设防类别进行划分。

11.2 管 道 支 架

11.2.4 独立式管道支架即支架与支架之间没有连系构件，利用管道自身刚度将各自独立的管道支架连接成的管道支架系统。一般包括固定管架和活动管架。活动管架根据其结构特征不同，又可分为刚性活动支架、柔性活动支架和半铰接活动支架等。

组合式管道支架，指采用某些辅助结构，如纵梁、吊索和悬索等构件，把各自独立的管道支架联系起来，形成一个大跨度支承管道的管架系统。管廊式支架一般在直线段的末端设有柱间支撑，以增加纵向侧移刚度，水平支撑宜设在管道固定点处。

11.2.5 钢支架柱的长细比和支架板件的宽厚比的限制规定，是参照现行国家标准《构筑物抗震设计规范》GB 50191 的规定给出的，但要求有所降低。

11.2.6 较高的四柱式支架中部设水平交叉支撑的间距一般为 6m 左右。

11.3 变电构架和支架

11.3.2 钢筋混凝土变电构架、支架和钢变电构架、支架的损坏主要由环境等因素引起混凝土保护层脱落、钢筋或钢材锈蚀，参照现行国家标准《建筑抗震鉴定标准》GB 50023－2009 第 6.1.3 条以及钢结构的特点，对其外观和内在质量问题的严重程度进行限制。

11.3.6、11.3.7 本条参照了现行国家标准《电力设施抗震设计规范》GB 50260 和本标准对柱间支撑和柱的构造以及支承柱锚栓的要求。

11.3.8、11.3.9 不符合抗震措施鉴定要求的变电构架或支架须按现行国家标准《电力设施抗震设计规范》GB 50260 进行抗震计算后评价。对于可不进行抗震承载力验算的构架或支架，仍要满足相应的抗震措施要求。

11.4 索 道 支 架

11.4.1 索道一般多建于地形地貌复杂地区，应重点检查地形对抗震的不利影响，地基被冲刷可能失稳等。

11.4.3～11.4.6 钢支架和钢筋混凝土单柱支架系参照现行国家标准《构筑物抗震设计规范》GB 50191 的规定提出要求，但要求有所降低。

11.5 通信钢塔桅结构

11.5.1 自立式钢塔架包括角钢塔、三管塔、屋面上的格构式自立塔架和单管塔；格构式或实腹式桅杆为拉线塔。在实际检测中，若构件锈蚀程度较轻，可近似采用锈蚀后钢材净截面面积与原截面之比判断构件承载力，按照实际需要采取加固措施。

11.5.2、11.5.3 在现行国家标准《电力设施抗震设计规范》GB 50260 对微波塔的规定中，6 度～8 度时自立式铁塔、微波塔、拉线杆塔可不进行抗震验算，但不包括建在建筑物屋顶上的塔桅结构。建在房顶上的塔桅结构，尚应计入建筑的放大效应。

12 锅炉钢结构

12.1 一般规定

12.1.1 根据现行国家标准《建筑工程抗震设防分类标准》GB 50223的规定，单机容量为300MW以下或规划容量为800MW以下的火力发电厂锅炉钢结构，属丙类构筑物。单机容量为300MW及以上或规划容量为800MW及以上的火力发电厂锅炉钢结构，属乙类构筑物。

12.1.2 根据历次地震的震害总结以及锅炉钢结构的设计经验，提出了抗震的主要薄弱环节，作为抗震检查的重点。

12.1.4、12.1.5 锅炉钢结构的抗震鉴定时，同样要考虑抗震承载力和抗震措施两个因素。首先按本章的抗震措施规定进行检查，若满足各项规定时，可不进行抗震承载力验算。不满足时应根据以上两个因素进行综合分析确定是否采取加固等措施。关键薄弱部位不满足要求时，均应采取加固措施。

12.2 抗震措施鉴定

12.2.1 锅炉钢结构和邻近建筑结构属不同类型的结构，须设置防震缝分开，避免锅炉钢结构和贴建厂房在地震时因碰撞而破坏。

12.2.3 锅炉钢结构的主柱和支撑杆件的长细比，柱、梁和支撑板件的宽厚比是参照现行国家标准《构筑物抗震设计规范》GB 50191确定，其限值有所放宽。

12.2.4 8度Ⅲ、Ⅳ类场地和9度时的锅炉钢结构，梁与柱的连接不采用铰接，主要是考虑铰接将使结构位移增大，同时考虑双重抗侧力体系对大型锅炉钢结构抗强震是有利的。

12.2.5 埋入式栓脚是指刚接柱脚，柱底板的下标高均设在厂房

±0.0m 以下，埋深不小于 300mm。

12.2.6 非埋入式铰接柱脚，柱底板所受地震剪力，不考虑由地脚螺栓承受，现行国家标准《钢结构设计规范》GB 50017 规定由底板与混凝土基础间的摩擦力承受（摩擦系数可取 0.4）。当不满足时，须设抗剪键。基础出现上拔力时，锚栓的数量和直径应根据柱脚作用于基础上的净上拔力确定。计算上拔力时使用最不利工况的上拔力减去 0.75 倍的永久荷载。

12.2.8 梁与柱为刚接时，柱在梁翼缘对应位置设置横向加劲肋是十分必要的，参照现行国家标准《构筑物抗震设计规范》GB 50191，横向加劲肋的厚度取为梁翼缘的厚度。

12.2.9 杆端至节点板嵌固点的距离系指为通过节点板与构架焊缝起点引出一条垂直于支撑杆轴线的直线至支撑杆端的距离。在大震时让节点板发生平面外屈曲，以减轻支撑破坏。

12.3 抗震承载力验算

12.3.1 抗震设防烈度为 6 度时，可不进行地震作用计算。为了保证结构的安全，确保节点不应先于构件破坏，其节点的承载力要比现行行业标准《锅炉构架抗震设计标准》JB 5339 规定提高约 20%，这是通过抗震构造措施要求来保证的。

12.3.3 容量为 300MW 的锅炉钢结构，其抗震计算可采用底部剪力法。容量为 600MW 及以上的锅炉钢结构宜采用振型分解反应谱法进行抗震计算。

12.3.4 现有的电厂对各主机设备设计，制造厂家只按照工程勘察报告提供场地类别，而不提供土层剪切波速和场地覆盖层厚度等相关资料，此时地震影响系数可根据烈度、场地类别、设计地震分组和结构自振周期以及阻尼比按现行国家标准《构筑物抗震设计规范》GB 50191 的规定确定。

12.3.5 锅炉钢结构的基本自振周期的近似计算公式来自美国 UBC 的规定，根据此公式计算得到的基本自振周期与锅炉钢结构的实测数值接近，因此推荐使用此公式计算锅炉钢结构的基本自振周期。

12.3.6 锅炉行业曾对锅炉钢结构进行过多次测震，但300MW及以上的锅炉实测较少，本条规定的阻尼比数值一方面根据实测数据，同时也参照现行国家标准《构筑物抗震设计规范》GB 50191关于钢结构阻尼比的推荐数值。

12.3.7、12.3.8 经与振型分解反应谱法计算结果比较，锅炉钢结构属弯剪型结构。因此，按《构筑物抗震设计规范》GB 50191规定的底部剪力法计算时，其结构类型指数和基本振型指数均按弯剪型结构取值。

12.3.10 悬吊锅炉炉体通过导向装置将炉体的水平地震作用直接作用在锅炉钢结构相应位置上，不沿高度重新分配。

12.3.12 大型锅炉都设有导向装置。但是200MW及其以下的悬吊锅炉有的不设导向装置，悬吊炉体和锅筒的地震作用只作用在锅炉钢结构的顶部。根据实测分析7度（0.1g）Ⅱ类场地的地震影响系数为0.022，其计算结果是偏于安全的。其地震作用计算方法与现行国家标准《构筑物抗震设计规范》GB 50191规定相同，但水平地震影响系数可乘以调整系数。

12.3.13 对于基本周期大于3.5s的结构，可能出现计算所得的水平地震作用效应偏小，出于结构安全考虑，给出了各主平面水平地震剪力最小值的要求。对于一般的锅炉钢结构基本自振周期远小于3.5s，本条要求自然满足，不需进行验算。在特殊情况下，基本周期大于3.5s时，应按本条规定进行验算，若不满足要求应对结构的水平地震作用效应进行相应的调整。

12.3.16 锅炉钢结构是由永久荷载起控制作用的，风荷载是主要的可变荷载，其他可变荷载很小。考虑到锅炉钢结构以往的设计经验和效应组合的一贯做法，避免降低结构可靠度，保持和过去的设计安全度相当，故将永久荷载分项系数和风荷载分项系数取为1.35。

12.3.17 锅炉钢结构构件承载力的抗震调整系数，根据锅炉钢结构的特点和我国锅炉行业多年的设计经验，仅梁、柱承载力的抗震调整系数与现行国家标准《构筑物抗震设计规范》GB 50191 的规定稍有不同，其余相同。

12.3.19 对于不规则且具有明显薄弱部位时或高度大于 150m 及 9 度时的乙类锅炉钢结构，应按本标准的规定进行罕遇地震作用下的弹塑性变形分析，这与现行国家标准《构筑物抗震设计规范》GB 50191 的规定是一致的，但其罕遇地震的地震影响系数可进行调整。

13 井　　塔

13.1 一般规定

13.1.1 本条给出了B类井塔抗震鉴定的适用范围，A类井塔不受其高度限制，但不宜超过B类井塔高度限值10%。

钢筋混凝土井塔有框架结构、框架-剪力墙结构、剪力墙结构、箱型结构、内框外箱结构、外框内箱结构、筒型结构、筒中筒结构等多种形式。

钢井塔有框架结构、框架-支撑结构、排架结构、桁架结构、下部框架上部排架的叠加结构、下部为正八角形的空间桁架体系上部为平面排架体系的叠加结构等形式。

钢筋混凝土和钢混合井塔是指下部为钢筋混凝土内框外箱结构，上部为钢排架结构。

对于砖或混凝土砌块结构井塔，原中华人民共和国煤炭工业部《煤炭工业抗震设计规定》（1978年7月12日试行）第85条规定，井塔一般采用钢筋混凝土结构，不应采用砖石或混凝土砌块结构。砖石或混凝土砌块结构井塔，应列入报废拆除之列，不能进行加固处理。

依据国家标准《建筑工程抗震设防分类标准》GB 50223－2008第7.1.3条规定采煤生产建筑中，“矿井的提升、通风、供电、供水、通信和瓦斯排放系统，抗震设防类别应划为重点设防类”。因此井塔属于乙类构筑物。

13.1.2 在88版鉴定标准的基础上参照现行国家标准《构筑物抗震设计规范》GB 50191中对井塔的要求进行了补充。井塔结构的抗震性能主要取决于结构体系、结构构件布置、性能和连接构造等因素，这是检查的重点部位。非结构构件和附属结构也是检查的重要内容，以防止地震时伤人或对主体结构及其连接产生不利影响。

钢筋混凝土框架-剪力墙结构和钢筋混凝土剪力墙结构在井塔结构中应用较多，构筑物抗震设计规范中对剪力墙没有单独要求，因此剪力墙可以参照现行国家标准《构筑物抗震设计规范》GB 50191 中钢筋混凝土框排架结构抗震墙的要求执行。

洞口的布置及加强措施包括楼面洞口和塔壁洞口。

13.1.3 钢筋混凝土井塔和钢井塔的使用中的损坏主要由生产中的碰撞和环境作用等引起混凝土保护层脱落、钢筋或钢材锈蚀，因此对出现外观和内在质量问题的严重程度进行限制。

13.1.4 井塔结构的抗震性能主要取决于结构体系、结构构件布置和构件性能以及连接等因素，为此从以上几个方面综合评定。

钢筋混凝土井塔的梁、柱、剪力墙、塔壁等构件或节点构造有明确的抗震要求，当这些要求不符合时，要评定为不满足抗震鉴定要求，须进行加固等措施。而仅有填充墙或屋盖结构不符合抗震要求时，可以进行局部改造等措施。

13.2 A 类井塔抗震鉴定

13.2.1 根据现行国家标准《构筑物抗震设计规范》GB 50191 有关平面布置、高宽比的规定，对 A 类井塔有所放宽，不对井塔的高宽比提出要求，仅作了原则性规定。

13.2.3 88 版鉴定标准仅提出了箱（筒）型井塔底层塔壁洞口的构造要求，本次修订参照了现行国家标准《构筑物抗震设计规范》GB 50191，补充了塔壁厚度、内侧转角、塔壁门窗洞边配筋和塔壁配筋等基本构造措施要求，体现抗震要求的全面性，但锚固长度仍然沿用 88 版鉴定标准的规定。

13.2.5 本条系按现行国家标准《构筑物抗震设计规范》GB 50191 井塔的规定给出的要求，6 度时放宽为 5.5m，7 度、8 度时放宽为 4.5m。

13.2.8 本条仍保留 88 版鉴定标准的规定，将“锁口盘”改为“井颈基础”。

13.2.9 本条系根据现行国家标准《构筑物抗震设计规范》GB 50191 给出的要求。

13.2.11 A类井塔的第二级鉴定需按现行国家标准《构筑物抗震设计规范》GB 50191 进行抗震计算后评价，构件组合内力设计值可不作调整，但地震动参数（加速度或地震影响系数）可按本标准第5.2.2条规定予以调整。

13.3 B类井塔抗震鉴定

13.3.1 本条根据现行国家标准《构筑物抗震设计规范》GB 50191 规定的抗震等级进行抗震构造措施核查。井塔为乙类时，应提高一度查表确定其抗震等级，一级时不提高，但从严要求。

13.3.3 本条给出了钢筋混凝土井塔的构造措施检查的具体规定。需要注意的是，如果井塔采用上部预制下部现浇的结构形式，应采取保证其整体性的措施。

13.3.6、13.3.7 对钢筋混凝土框架式井塔可依据抗震措施满足要求的程度改变抗震承载力验算要求的原则，抗震措施满足程度较高时，降低抗震承载力验算要求；而抗震措施满足程度较低时，提高抗震承载力验算要求。但对其他钢筋混凝土井塔则仅根据抗震承载力直接判定是否满足要求，其构件组合内力设计值可不作调整。

13.3.8 B类钢井塔抗震验算时的组合内力设计值不要求调整。对乙类井塔在8度Ⅲ、Ⅳ类场地和9度时要求进行罕遇地震下的弹塑性变形验算，是从地震时保证人员安全升井考虑的。

14 井　　架

14.1 一 般 规 定

14.1.1 本条给出本章的适用范围。井架有钢井架、钢筋混凝土井架。钢筋混凝土井架分为A型、四柱型和六柱型。在93版设计规范中有四柱和六柱单绳缠绕式钢筋混凝土井架，单斜撑单绳提升钢井架和单斜撑多绳落地提升钢井架，又有罐笼井井架，箕斗井井架。在现行国家标准《构筑物抗震设计规范》GB 50191中又有混合提升井架、双斜撑钢井架。

现行国家标准《矿山井架设计规范》GB 50385把常用的井架形式归纳为5种：单斜支撑井架、双斜支撑井架、四柱或筒体悬臂式钢筋混凝土井架、六柱斜撑式混凝土井架、钢筋混凝土立架和钢斜撑组合式井架。

88版鉴定标准中没有对井架高度限值作出要求。在93版设计规范第9.1.1条中有钢筋混凝土井架高度限值“四柱式井架的高度不宜超过20m，六柱式井架不宜超过25m”；在现行国家标准《构筑物抗震设计规范》GB 50191中有钢筋混凝土井架高度限值，二者仅对钢筋混凝土框架型井塔高度限值有差异。现行国家标准《构筑物抗震设计规范》GB 50191中井架高度超过25m或多绳提升井架，宜采用钢结构。对按93版设计规范设计的井架，后续使用年限不宜少于40年，条件许可时应采用50年，即按B类井架考虑。A类井架不进行高度限值要求。

对于砖石结构或钢、钢筋混凝土与砖石砌体的混合结构，原中华人民共和国煤炭工业部《煤炭工业抗震设计规定》（1978年7月12日试行）第91条规定“立井井架不应采用砖石结构或钢、钢筋混凝土与砖石砌体的混合结构形式”。因此，这类结构井架属于淘汰之列，本标准不包含其鉴定内容。

14.1.2 井架结构的抗震性能主要取决于结构体系、结构构件布置和构件性能等因素，也是检查的重点部位。非结构构件、围护和附属结构是检查的一般部位。

14.1.3 钢筋混凝土井架和钢井架使用中的损坏主要由生产中的碰撞和环境作用等引起混凝土保护层脱落、钢筋或钢材锈蚀。参照现行国家标准《建筑抗震鉴定标准》GB 50023 和行业标准《石油钻井井架分级评定规范》SY 6442－2000 的规定，对出现外观和内在质量问题的严重程度进行限制。

14.1.4 井架结构的抗震性能根据结构体系、结构构件材料强度和构造等因素，对其结构进行综合评定。

钢筋混凝土井架的梁、柱等构件及其节点构造有明确的抗震要求，当这些要求不符合时，应进行加固或采取其他措施。仅填充墙或屋盖结构不符合抗震要求时，可以进行局部改造或采取加固措施。

钢井架的斜撑柱和立架有较大变形或整体扭曲时，在地震时会发生整体倒塌，因此评定为不满足鉴定要求。

14.2 A类井架抗震鉴定

14.2.1 本条系参照93版设计规范和本标准第6章、第7章框架结构的有关规定提出的要求。

14.2.6 本条系参照本标准第7章的有关规定。

14.2.7 本条系参照现行国家标准《建筑抗震鉴定标准》GB 50023 有关钢筋混凝土框架结构的规定。

14.2.8 本条系参照行业标准《石油钻井井架分级评定规范》SY 6442－2000 的有关规定。

14.2.9 除第一级鉴定中规定的直接评定为综合抗震能力不满足抗震要求外，对一般不符合第一级鉴定要求的井架，应进行抗震承载力验算，并根据验算结果确定是否采取加固等措施。

14.3 B类井架抗震鉴定

14.3.1 B类钢筋混凝土井架须根据现行国家标准《构筑物抗震

设计规范》GB 50191 规定的抗震等级进行抗震构造措施的核查；乙类井塔应按提高一度查表确定其抗震等级，9 度时仍为一级。

14.3.7 本条是参照现行国家标准《构筑物抗震设计规范》GB 50191 的规定给出的要求，其指标有所放宽。

14.3.8、14.3.9 钢筋混凝土井架要依据抗震措施满足要求的程度改变抗震承载力验算要求的原则，当抗震措施满足程度较高时，降低抗震承载力验算要求；当抗震措施满足程度较低时，提高抗震承载力验算要求。

14.3.10 钢井架抗震承载力验算时构件组合内力设计值可不作调整；乙类须验算弹塑性变形，防止变形过大而倒塌。

15 电 视 塔

15.1 一 般 规 定

15.1.2 为了增强发射效果，电视塔一般建于地势较高地段，因此可能会对结构抗震带来不利影响，即须考虑局部地形对地震动的放大效应。

15.1.3 本条是针对电视塔的主要质量问题提出检查要求，不符合要求时应根据实施的可能性来确定加固等措施。

15.2 抗震措施鉴定

15.2.1～15.2.12 针对钢电视塔、钢筋混凝土电视塔提出的要求，是参照现行国家标准《构筑物抗震设计规范》GB 50191 有关电视塔一章的规定提出的，但具体指标有所放宽。

15.3 抗震承载力验算

15.3.1、15.3.2 不要求进行抗震承载力验算的范围以及要求进行弹塑性变形验算的范围，是参照现行国家标准《构筑物抗震设计规范》GB 50191 的规定给出的。

16 冷　却　塔

16.1 自然通风冷却塔

16.1.1 自然通风冷却塔主要是指双曲线形钢筋混凝土旋转壳通风筒的冷却塔，其他形状的钢筋混凝土自然通风冷却塔可参考使用。

16.1.2 冷却塔工作在潮湿的环境中，外观质量差时易受侵蚀，从而影响混凝土的性能；同时不均匀变形会影响壳体应力的分布对抗震不利。因此应将这些项目列入重点检查的内容。

16.1.3 对于自然通风冷却塔的抗震鉴定应分为塔筒和淋水装置两部分。对其抗震能力进行综合评定时，可分别按塔筒和淋水装置的抗震承载力和构造两个因素进行鉴定。

16.1.4、16.1.5 在本次编制中，按照风荷载 0.30kN/m² 和 0.35kN/m² 对 4000m² 和 6500m² 冷却塔采用西北电力设计院的《弹性地基上冷却塔整体抗震分析程序》（LBSD）抗震分析结果，提出了塔筒混凝土强度等级的要求；斜支柱的混凝土强度等级主要取决于柱断面轴压比，其与设计的柱断面有关，因此塔筒混凝土强度等级的要求中未包含斜支柱。塔筒配筋率取 0.15% 是考虑 20 世纪七八十年代建造的冷却塔，其最小配筋率规定为 0.15%，在此配筋率下抗震承载力也是能满足要求的。塔筒混凝土强度的降低能否满足壳体的稳定要求需另行验算。

16.1.7、16.1.8 自然通风冷却塔的抗震等级是参照现行国家标准《构筑物抗震设计规范》GB 50191 的规定给出的，作为本节的抗震构造措施要求的依据，但要求有所放宽。

16.1.9 参照现行国家标准《构筑物抗震设计规范》GB 50191，提出了不进行抗震验算的冷却塔范围；需要进行抗震验算的冷却塔，其抗震验算方法仍按该规范的规定同时考虑水平和竖向地震作用，但地震动参数可按第5章规定进行调整。

16.2 机力通风冷却塔

16.2.1 机力通风冷却塔主要是指以钢筋混凝土框架为主体结构的机械强制通风冷却塔。

16.2.2 根据机力通风冷却塔的工作环境，提出其抗震鉴定时的主要检查内容。

16.2.3 钢筋混凝土框架是机力通风冷却塔的主要结构，其抗震鉴定可按本标准第六章钢筋混凝土框架的规定执行。但对B类冷却塔框架结构的抗震等级，本条作了简化规定，即6度、7度时为三级，8度、9度时为二级。

16.2.5 本条规定仅对8度Ⅲ、Ⅳ类场地和9度以及不符合抗震措施要求的机力通风冷却塔，要求进行抗震承载力验算。验算方法可参照第6章B类框架的规定。

17 焦炉基础

17.1 一般规定

17.1.1 我国炭化室高度不大于6m的大、中型焦炉中绝大多数是采用钢筋混凝土构架式基础。震害调查表明，该种形式的焦炉炉体、基础大多数震害轻微或完好，仅有少量震害较严重。

17.1.2 本条所列的抗震鉴定重点，是基于焦炉基础的震害经验及其受力特点给出的检查要求。

1975年海城7.3级地震时，7度Ⅱ类场地的鞍钢化工总厂，钢筋混凝土构架式基础仅部分开裂，结构基本完好。

1976年唐山7.8级地震时，处于10度Ⅱ类场地的唐山市焦化厂，两座钢筋混凝土五柱构架式焦炉基础的震害大致相同，简述如下：

1 基础构架：构架梁基本完好，仅在边柱节点处，有的梁局部因挤压而劈裂。边柱（铰接柱）上端的破坏比下端严重。上下端节点的混凝土均呈挤压破坏，混凝土酥碎。三排中间柱（固接柱，包括中排柱在内）则是下端节点的破坏比上端节点严重得多，上端距梁底以下1.2倍～1.4倍柱截面高度的范围内在柱截面高度（长边）表面上出现局部挤压破坏裂缝；下端距地坪1.2倍～1.6倍柱截面高度范围内在长边表面上出现单向或双向斜裂缝，严重者混凝土剥落，钢筋局部弯曲。上述震害主要是由于横向水平地震作用所致。

2 抵抗墙：抵抗墙柱距底部约0.7倍柱截面高度（长边）的范围内在背向焦炉的截面短边表面（外表面）上出现多条水平裂缝，在柱截面长边表面上出现由外侧底部沿焦炉方向由下往上的多条单向斜裂缝。这些水平裂缝和斜裂缝产生于纵向振动，当炉体在某侧抵抗墙方向振动时，另一侧抵抗墙悬臂柱在柱顶纵向拉条的作用下外侧受拉，下端弯矩最大，故出现柱外侧面（短边）底部的水平裂缝和上述走向的柱长边表面单向斜裂缝。

3 纵横拉条无破坏。从焦炉炉体的震害来看，炉体外观完整，没有松动和掉砖，炉柱顶未松动，整个炉体基本完好，可知纵横拉条保证了炉体的整体性。再从上述抵抗墙柱由纵向地震作用引起的裂缝位置和斜裂缝走向来看，也可知在纵向振动时纵拉条起到了联结抵抗墙、焦炉炉体与基础构架使之成为整体的重要作用。因此，纵横拉条也列为重点检查内容。

17.2 A类焦炉基础抗震鉴定

17.2.2～17.2.6 抗震构造要求主要根据焦炉基础构架的结构形式、受力特点及对震害的分析结果给出的：

1 焦炉基础构架是空间框架结构，具有较大刚度的整片式钢筋混凝土底板（内含纵横向基础梁）和顶板（包括横向框架梁），整体性很好。为减少由基础顶板的温度变形在框架中产生的内力，位于中间区域的横向框架，边柱上下端为铰接，中间柱上下端为固接；位于焦炉两端的横向框架，边柱同上，中间柱为上固下铰形式。地震作用下横向振动时，构架式基础犹如单质点体系，集中在基础构架顶部的炉体及其物料等自重所产生的横向水平地震力作用于基础构架上部。纵向振动时，基础构架、炉体、抵抗墙和拉条组成的整体振动体系，作用于基础构架上的纵向水平地震作用为炉体及其物料等自重所产生的纵向水平地震作用与由此地震作用产生于抵抗墙的斜梁到水平梁部位的支承反力之差值。

基础构架在上述横向或纵向水平地震作用下，固接柱的上下两端由原来静力下的中心受压变为偏心受压（对中排柱），或使原来的偏心受压增大偏心距（对非中排柱），其结果均使混凝土受压区应力增大而可能导致挤压破坏；非中排固接柱，还可能受压弯产生斜向开裂。根据计算，下端组合弯矩大于上端，故下端破坏重于上端，这与唐山市焦化厂焦炉基础构架固接柱的震害一致。为避免这些震害，需满足框架柱的构造要求，保证其延性发展。

铰接柱在静力作用下为中心受压，按理也不会因水平地震作用而增大压应力，但唐山市焦化厂焦炉基础的边排铰接柱却有较严重的震害，分析原因如下：

1）在焦炉基础构架设计中，考虑顶板受热伸长后边柱外倾，为避免铰接柱柱顶内侧边缘与梁底发生局部接触而出现混凝土局部挤压，一般在柱顶与梁底之间设有足够厚的钢垫板；同样为避免铰接柱下端的侧面与基础杯口局部接触而出现挤压破坏，在基础杯口与柱之间留有间隙并用沥青玛𤬸脂填塞。但唐山市焦化厂的焦炉基础框架梁梁底与铰接柱顶面之间无钢垫板，间隙很小，则在横向水平地震作用的反复作用下柱顶截面内外侧混凝土因受局部挤压而劈裂、剥落。梁底受局部挤压也可能出现劈裂；同样，在纵向水平地震的反复作用下使柱顶前后侧受局部挤压；而柱与基础杯口的接触使柱改变铰接状态而形成横向水平力作用下的嵌固点，边柱变成压弯构件，因而造成柱下端混凝土的开裂、压酥、剥落。

2）遭受严重破坏的中间柱（固接柱），承载能力降低甚至退出工作，垂直荷载转而由其他柱（包括铰接柱）分担，使这些柱的压力增大。

3）其他原因，如焦炉炉体在水平地震作用下，倾覆力矩使边排柱轴压力增大。为避免铰接柱的震害，除中间柱要满足框架结构的要求使其不因破坏而导致铰接柱增加垂直荷载外，还应使铰接柱顶面与梁底面之间及铰接柱下端与杯口之间在温度变形稳定以后尚有足够的残留空隙。参照震害调查中的纵、横向侧移量，按侧移 50mm 计，采用通常的构架柱高度、截面尺寸及杯口深度作了推算，并适当留有余地，规定了残余空隙限值的要求。

2 为保证抵抗墙通过纵向拉条达到与焦炉炉体、基础构架共同工作，纵向拉条必须保持其受力状态。

焦炉基础与其四周炉端台、炉间台以及机侧和焦侧操作台之间所设置的滑动支座或滚动支座，应能正常滑动或滚动。这既是正常工作条件下为减少基础构架及其四周建筑物的温度应力所需，也是为了在地震中利用滑动（滚动）支座起隔震作用，从而减小结构的地震作用。在正常使用荷载、温度变形下曾出现过由于滑动支座失效而使炉间台楼盖边梁被推断的恶性事故（太钢焦炉）。这类滑动（滚动）支座如果失效，对构架式基础的震害影响很大，应引起重视。当然，必须防止滚动支座脱落，毛儿山焦炉震害中就曾出现过轴辊有半端脱落的情况。

唐山市焦化厂焦炉基础的震害调查中发现，安装于端部基础构架柱上的角钢件与相邻的抵抗墙柱之间的间隙为 36mm 时，震后抵抗墙柱表面留有明显的碰撞后的角钢痕迹；当间隙为 30mm 时，抵抗墙柱的混凝土局部被撞掉，这是纵向振动的结果。在横向，炉柱套靴与分烟道顶部边缘之间原有约 30mm 的距离，震后发现炉柱套靴上留有被碰撞的痕迹。侧移量与烈度大小、基础构架侧移刚度相关，参考防震缝的一般要求，取 50mm。

17.3 B类焦炉基础抗震鉴定

17.3.1 计算结果表明，8度Ⅲ、Ⅳ类场地和9度时，加强基础结构刚度，缩短自振周期，对降低基础构架水平地震作用有利。因此，本条对此作出规定。其他条件时，基础选型可以不受限制。

17.3.2 由于工艺的特殊性，焦炉基础构架是典型的强梁弱柱结构。震害中柱子的破坏类型均属混凝土受压控制的脆性破坏，未见有受拉钢筋到达屈服的破坏形式。但由于柱数量较多，一般不致引起基础结构倒塌。所以，必须在构造上采取措施加强柱子的塑性变形能力。参考现行国家标准《构筑物抗震设计规范》GB 50191 的要求，规定基础构架的构造措施要符合框架的要求。

17.3.4 基础构架的铰接端，理论上不承受水平地震作用和温度变形所引起的水平力，而焦炉的水平地震作用，也仅能使边柱增加轴向压力。但柱头与柱脚都是整体浇灌混凝土，由于不能自由转动而形成局部挤压，并在水平力作用下产生弯矩，实际上为压弯构件。在反复地震作用下，使两端节点混凝土剥落，焦炉两端铰接柱产生严重的压弯破坏。考虑到 B 类建筑的后续使用年限，参考现行国家标准《构筑物抗震设计规范》GB 50191，铰接柱节点端部除设置焊接钢筋网外，伸入基础（基础底板）杯口时，柱边与杯口内壁之间应留有间隙并浇灌软质材料。

17.3.6 同第 17.2.5 条条文说明。但考虑到 B 类后续使用年限，要求较为严格，由宜改为应。

17.3.7 本条是根据震害经验制定的，即在建 7 度Ⅰ、Ⅱ类场地的焦炉基础可不进行抗震验算。

18 回转窑和竖窑基础

18.1 一 般 规 定

18.1.1 回转窑和竖窑基础多采用钢筋混凝土构架式结构。

18.1.2 本条所列的抗震鉴定检查重点，是基于回转窑和竖窑基础的震害经验及其受力特点给出的。唐山地震时，处于10度区的422水泥厂，回转窑基础结构完好，但有6座回转窑的窑体均沿纵向向低位侧窜动，最大下滑达150mm，使M30固定螺栓剪断，窑体挡轮的铸铁基座破裂，局部剪断，有的脱落。10度区国各庄矾土矿回转窑的震害与上类同。上述震害的基本原因是纵向地震力引起窑体下滑且螺栓抗剪强度不足。因此，对现有回转窑和竖窑基础的检查重点之一是其与基础的连接。

18.1.3、18.1.4 回转窑和竖窑基础按钢筋混凝土框架结构的要求进行外观和内在质量检查和抗震鉴定，其中包括填充墙的构造要求。

18.2 A类回转窑和竖窑基础抗震鉴定

18.2.1 钢筋混凝土构架式基础作为框架结构，应满足框架结构的构造措施要求，保证其延性。震害经验表明，至今尚未见到低于10度区的回转窑基础和竖窑基础的震害实例，故本节对不验算抗震强度的范围定得较宽。但对于8度Ⅲ、Ⅳ类场地和9度时，仍要求进行抗震承载力验算。

18.2.3 根据震害经验，回转窑和竖窑基础的震害多为连接破坏，故对连接的抗震鉴定范围给出具体规定。考虑到震害实例较少，较震害实例略为严格。规定8度Ⅲ、Ⅳ类场地和9度时，应对锚栓进行抗震鉴定，并应设有防止回转窑窑体沿轴向窜动的措施。

18.3 B类回转窑和竖窑基础抗震鉴定

18.3.1 考虑到B类建筑的后续使用年限较长，鉴定范围略为严格。

18.3.4、18.3.5 设有砌体填充墙和钢筋混凝土抗震墙时，参照本标准第6章关于B类钢筋混凝土框架结构的要求作出规定。

18.3.7 窑体自重较大，震害中地脚螺栓被拔出或剪断，因此规定高烈度时要求验算地脚螺栓。地震剪力应由摩擦力承担或设有抗剪键。

19 高炉系统结构

19.1 一 般 规 定

19.1.1 本章适用范围是根据现行国家标准《构筑物抗震设计规范》GB 50191 制定的。1000m^3 以下的中、小型高炉按国家政策规定属于淘汰对象，故不列入本标准的鉴定范围。虽然高炉的炉龄一般为 10 年～15 年，但鉴于其重要性，全部按 B 类构筑物进行抗震鉴定。

19.1.2 高炉系统结构类型比较多，如钢筋混凝土框架结构、钢框架结构、上料通廊等，本章以外的其他结构可参照本标准有关章节规定进行抗震鉴定。

19.2 高 炉

19.2.1 本条所列出的检查部位和内容是根据使用和地震时易出现损坏情况给出的。高炉每隔 10 年～15 年要进行移地大修，这是因为炉体内部耐火砖和冷却设备不能正常工作引起炉壳局部烧红、变形或开裂等，此时必须进行拆除重建。但在正常使用时期应符合本条要求。

19.2.2～19.2.4 高炉框架和炉壳组成一个空间结构体系。本条所列出的抗震鉴定检查要求根据现行国家标准《构筑物抗震设计规范》GB 50191 的规定，并要求在 8 度Ⅲ、Ⅳ类场地和 9 度时的高炉结构应进行抗震验算。

19.3 热 风 炉

19.3.1～19.3.4 热风炉的抗震鉴定检查要求和抗震验算范围是参照现行国家标准《构筑物抗震设计规范》GB 50191 的规定给出的，但要求有所降低。

19.4 除尘器、洗涤塔

19.4.1～19.4.6 根据现行国家标准《构筑物抗震设计规范》GB 50191要求，抗震验算主要是除尘器和洗涤塔的支架和框架结构，筒体可不进行抗震验算。支架或框架的抗震构造措施要求比设计规范有所放宽。

20 钢筋混凝土浓缩池、沉淀池、蓄水池

20.1 一 般 规 定

20.1.1 本条给出了钢筋混凝土浓缩池、沉淀池、蓄水池的适用范围。

20.1.2 根据设防烈度的不同，逐步提高需重点检查的要求。

20.2 A类钢筋混凝土浓缩池、沉淀池、蓄水池抗震鉴定

20.2.2～20.2.4 池壁钢筋配置和构造要求是参照设计规范的规定，但有所放宽。

对于架空式浓缩池、沉淀池、蓄水池，框架柱是主要抗侧力构件，对其构造措施要求相对严格，需满足本标准第6章框架结构的规定。

20.2.5 本条直接给出不满足抗震鉴定要求的3种情况，但此时仍可通过第二级鉴定，即通过抗震承载力验算结果确定是否具有加固的可能性，或判定为报废。

20.3 B类钢筋混凝土浓缩池、沉淀池、蓄水池抗震鉴定

20.3.3 相对于A类浓缩池、沉淀池、蓄水池，B类提高了对中心柱纵筋和箍筋配置的要求。

20.3.4 架空式池类的轴压比限值、配筋等要求要符合本标准第6章B类框架结构的规定，但6度、7度时的抗震等级可按三级采用，8度、9度时可按二级采用。

20.3.5 半地下式和地面式浓缩池、沉淀池、蓄水池在地震时，由于重心较低，震害甚少，因此规定符合一定条件时可以不进行抗震验算，但应满足相应的抗震措施要求。

20.3.6 根据现行国家标准《构筑物抗震设计规范》GB 50191

和《室外给水排水和燃气热力工程抗震设计规范》GB 50032 的规定给出可不进行抗震验算的范围。须进行抗震验算时，可参照上述规范方法和本标准第 5 章的规定执行。

21 砌体沉淀池、蓄水池

21.1 一 般 规 定

21.1.1 本条给出本章的适用范围，浓缩池不适用砌体结构。

21.1.2 根据设防烈度的不同，逐步提高需重点检查的要求。

21.1.4 半地下式和地面式沉淀池、蓄水池在地震时，由于重心较低，震害甚少，因此规定符合一定条件时可以不进行抗震验算。

21.2 A类砌体沉淀池、蓄水池抗震鉴定

21.2.2 对沉淀池、蓄水池的整体性连接，特别是构造柱、圈梁作了规定。9度地区不宜采用砌体水池，但考虑到实际现状，仍对9度现有砌体水池提出相应的要求。

21.3 B类砌体沉淀池、蓄水池抗震鉴定

21.3.2 对沉淀池、蓄水池的整体性连接，特别是构造柱、圈梁作了规定。9度地区不宜采用砌体水池，但考虑到实际现状，仍对9度现有砌体水池提出相应的要求。

21.3.3 现行国家标准是指《室外给水排水和燃气热力工程抗震设计规范》GB 50032。

22 尾 矿 坝

22.1 一 般 规 定

22.1.1 本章主要适用于冶金行业的尾矿坝的抗震鉴定，其他行业的如粉煤灰坝等可参照执行。

22.1.2 按现行行业标准《尾矿库安全技术规程》AQ2006，尾矿坝的抗震设计标准低于现行国家标准《构筑物抗震设计规范》GB 50191，因此须进行抗震鉴定。

22.1.3 距尾矿坝 50m 内若存在活动断裂时，提出了更高的要求。抗震等级按现行国家标准《构筑物抗震设计规范》GB 50191 采用，但最高为一级。

22.1.4 根据国家安全生产监督管理局《尾矿库安全监督管理规定》提出了本条的要求。尾矿坝的使用年限就是尾矿坝的建设施工期，尾矿坝是随采矿、选矿的进行而逐年增高的。通常，一座大中型尾矿坝的使用期为十几年，甚至几十年。随着尾矿坝的增高，坝体的固有动力特性也将随之发生改变。这意味着，对某一特定的地震地质环境，即场地未来可能遭遇的地震动，最终坝高不一定是坝的最危险的阶段。所以，在尾矿坝运行时，还需要对不同坝高工况进行抗震鉴定。

震害调查和理论研究都已表明，上游式筑坝工艺尾矿坝的抗震性能最差，下游式尾矿坝抗震性能较好。到目前为止，已发现的尾矿坝地震破坏事例皆属上游式坝型，其破坏原因多是尾矿液化所致。国外已有部分上游式尾矿坝在低烈度区发生地震破坏的事件。1976 年唐山地震时，位于震中约 80km 的天津汉沽碱厂尾矿坝的溃坝；2008 年汶川地震时，位于震中约 300 km 的汉中略阳县尾矿坝溃决，均是低烈度区上游式尾矿坝发生垮坝破坏的典型事例。这两座尾矿坝都是位于地震烈度 7 度区。

22.2 抗震措施鉴定

22.2.3、22.2.4 浸润线是尾矿坝的生命线。纵观尾矿坝的破坏事例，无论是静力条件下失稳，还是地震时的液化流滑破坏都与坝体浸润线过高有关。所以，不仅要严格控制浸润线埋深，还要密切关注其浸润线变化，发现异常时须及时采取措施。

22.3 抗 震 验 算

22.3.1～22.3.5 现有尾矿坝的抗震验算的规定是参照现行国家标准《构筑物抗震设计规范》GB 50191 给出的。根据尾矿坝动态运行的特点和安全性要求较高，并与设计规范的规定保持一致性，抗震验算时的地震动参数不按本标准第 5 章的规定进行调整。